D0191900

Collection folio junior

Steve Jackson et **Ian Livingstone**, les auteurs, ont été tous deux élèves du lycée de Altrincham dans le Cheshire. Steve Jackson a étudié la biologie et la psychologie à l'université de Keele, mais il consacra surtout son énergie à fonder une association de jeux au sein de l'université. Ian Livingstone a suivi des cours de marketing au collège de Stockport ; il a collaboré, par la suite, au magazine *Albion*, aujourd'hui disparu, la revue la plus célèbre en Grande-Bretagne en matière de jeux de société.

En 1974, tous deux vinrent s'installer à Shepherd's Bush, dans la partie ouest de Londres ; ils passaient là le plus clair de leur temps à jouer à des *wargames* américains. Parmi les divers emplois que Steve Jackson a tenus à cette époque, l'un des plus enrichissants pour son expérience fut sans nul doute sa collaboration à *Games and Puzzles* qui était à l'époque le seul magazine anglais professionnel spécialisé dans les jeux ; dans le même temps, Ian Livingstone menait une carrière de cadre supérieur dans le service marketing d'une grande compagnie pétrolière. Lorsque leur société Games Workshop fut créée, ils décidèrent tous deux d'abandonner leur situation « stable » pour se consacrer entièrement à ce qui avait toujours constitué la grande ambition de leur vie.

Les jeux que produit la société Games Workshop ont inspiré *Le Sorcier de la Montagne de Feu*. Conçu pour un joueur solitaire, le livre fonctionne à la manière des jeux électroniques dans lesquels le joueur doit tenir un rôle en tant que personnage. De tels jeux ont ceci de particulier qu'ils nécessitent la présence d'un « Maître du Jeu » représentant une sorte de « dieu » qui préside à l'aventure dans laquelle se lance le joueur. Dans *Le Sorcier de la Montagne de Feu*, c'est le livre lui-même qui fait office de « Maître du Jeu », en utilisant une technique familière à ceux qui ont suivi des cours programmés électroniquement.

Steve Jackson et Ian Livingstone ont maintanant dépassé la trentaine et ils sont toujours aussi acharnés au jeu. Parmi leurs jeux préférés, citons : Apocalypse, 1829, Intellivision Baseball, Pisa et la grande trilogie des jeux électroniques : Rune Quest, Donjons et Dragons et Traveller.

Russ Nicholson est professeur. Il a souvent participé à l'illustration de *The white dwarf*, magazine créé par Steve Jackson et Ian Livingstone, entièrement consacré à la science-fiction et aux jeux d'imagination.
Russ Nicholson vivait dans le Suffolk, en Angleterre, mais il occupe actuellement un poste de professeur en Papouasie, en Nouvelle-Guinée.

Peter Jones, l'illustrateur de la couverture, est anglais et très connu en Grande-Bretagne pour ses œuvres de science-fiction : couvertures de livres, affiches de cinéma, décors de théâtre pour le cinéma et la télévision. Et pourtant, il a commencé sa carrière d'illustrateur comme dessinateur de mode ! Mais son amour des belles machines, voitures extravagantes, grosses motos, avions l'a conduit vers le monde à la fois technique et imaginaire de la science-fiction.

Un livre différent

Le sorcier de la montagne de feu n'est pas un livre comme les autres. Outre le livre lui-même, il vous faudra une paire de dés, un crayon et une gomme : muni de ces armes, vous pourrez alors devenir le héros d'une aventure périlleuse au cours de laquelle vous chercherez le trésor que le sorcier a caché. Ce trésor est dissimulé au cœur d'un dédale que vous explorerez vous-même. L'endroit est peuplé d'une multitude de monstres souterrains qu'il vous faudra combattre et tuer – faute de quoi, c'est vous qui perdrez la vie dans l'affrontement.

Moitié roman, avec sa passionnante histoire, moitié jeu, avec ses méthodes de combats très sophistiquées, ce livre vous réserve de nombreuses surprises. À chaque page, vous aurez à relever de nouveaux défis, et les choix que vous ferez vous mèneront sur des chemins divers où vous aurez toutes sortes de batailles à livrer. Vous vous perdrez peut-être dans le labyrinthe ou un Être hideux minera vos forces, vous mourrez peut-être en combattant des Farfadets, ou vous serez confronté aux nombreuses créatures qui gardent le trésor du sorcier. Mais si vous faites preuve de courage, de détermination, et si la chance vous sourit, il se peut que vous réchappiez des traquenards et des batailles : alors, vous atteindrez les chambres secrètes du domaine sur lequel règne le sorcier et où il a caché son trésor.

Mais prenez garde : la magie et les monstres que vous rencontrerez sur le chemin de cette chasse au trésor sont aussi vrais que nature. Aventure, sorcellerie, cette chasse vous tiendra en haleine des heures entières !

Dédié à Joanna Ashton,
authentique Galadriel de l'esprit...
et à Anne et Neville,
les véritables sorciers.

Steve Jackson
et Ian Livingstone

Le sorcier de la Montagne de Feu

Traduit de l'anglais
par Camille Fabien

Illustrations de Russ Nicholson

Gallimard

Titre original :
The Warlock of firetop mountain

First published by Penguin Books Ltd,
Harmondsworth, Middlesex, England.

Comment combattre les créatures de la montagne

Avant de vous lancer dans cette aventure, il vous faut d'abord déterminer vos propres forces et faiblesses. Vous avez en votre possession une épée et un bouclier, ainsi qu'un sac à dos contenant des provisions (nourriture et boissons) pour le voyage. Afin de vous préparer à votre quête, vous vous êtes entraîné au maniement de l'épée et vous vous êtes exercé avec acharnement à accroître votre endurance.

Les dés vous permettront de mesurer les effets de cette préparation en déterminant les points dont vous disposerez au départ en matière d'HABILETÉ et d'ENDURANCE. En pages 10 et 11, vous trouverez une *Feuille d'Aventure* que vous pourrez utiliser pour noter les détails d'une aventure. Vous pourrez inscrire dans les différentes cases vos points d'HABILETÉ et d'ENDURANCE.

Nous vous conseillons de noter vos points sur cette *Feuille d'Aventure* avec un crayon ou,

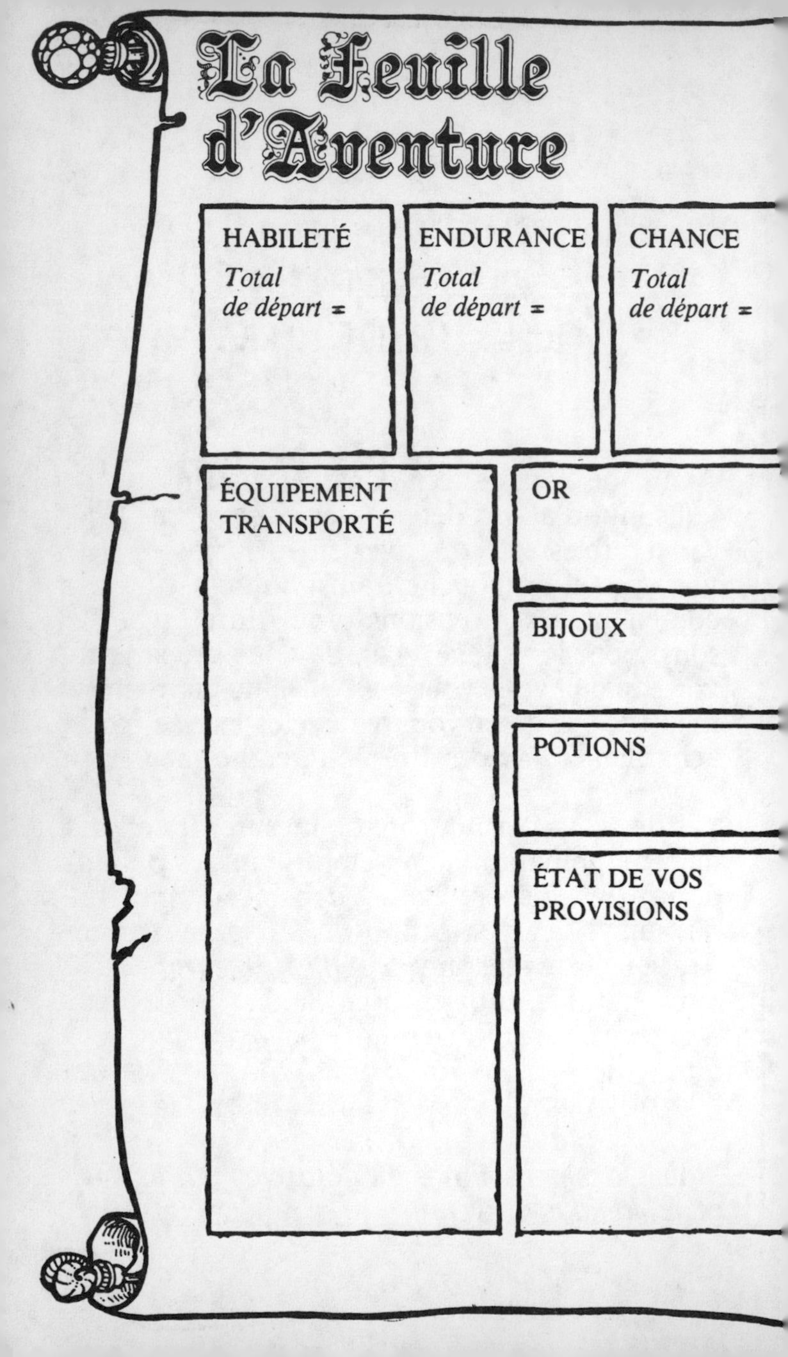
La Feuille d'Aventure

HABILETÉ *Total de départ =*	ENDURANCE *Total de départ =*	CHANCE *Total de départ =*

ÉQUIPEMENT TRANSPORTÉ	OR
	BIJOUX
	POTIONS
	ÉTAT DE VOS PROVISIONS

CASES DES RENCONTRES AVEC UN MONSTRE

Habileté = *Endurance* =	*Habileté* = *Endurance* =	*Habileté* = *Endurance* =
Habileté = *Endurance* =	*Habileté* = *Endurance* =	*Habileté* = *Endurance* =
Habileté = *Endurance* =	*Habileté* = *Endurance* =	*Habileté* = *Endurance* =
Habileté = *Endurance* =	*Habileté* = *Endurance* =	*Habileté* = *Endurance* =

mieux, de faire des photocopies de ces deux pages afin de pouvoir les utiliser lorsque vous jouerez à nouveau.

Habileté, Endurance et Chance

Lancez un dé. Ajoutez 6 au chiffre obtenu et inscrivez le total dans la case HABILETÉ de la *Feuille d'Aventure.*
Lancez ensuite les deux dés. Ajoutez 12 au chiffre obtenu et inscrivez le total dans la case ENDURANCE.
Il existe également une case CHANCE. Lancez à nouveau un dé, ajoutez 6 au chiffre obtenu et inscrivez le total dans la case CHANCE.

Pour des raisons qui vous seront expliquées plus loin, les points d'HABILETÉ, d'ENDURANCE et de CHANCE changent constamment au cours de l'aventure. Vous devrez garder un compte exact de ces points et nous vous conseillons à cet effet d'écrire vos chiffres très petits dans les cases, ou d'avoir une gomme à portée de main. Mais n'effacez jamais vos *points de départ*. Bien que vous puissiez obtenir des points supplémentaires d'HABILETÉ, d'ENDURANCE et de CHANCE, ce total n'excédera jamais vos *points de départ*, sauf en de très rares occasions qui vous seraient alors signalées sur une page particulière.

Vos points d'HABILETÉ reflètent votre art dans le maniement de l'épée et votre adresse au combat en général ; plus ils sont élevés, mieux c'est. Vos points d'ENDURANCE traduisent votre force, votre volonté de survivre, votre détermination et votre forme physique et morale en général ; plus vos points d'ENDURANCE sont élevés, plus vous serez capable de survivre longtemps. Avec vos points de CHANCE, vous saurez si vous êtes naturellement chanceux ou malchanceux. La chance et la magie sont des réalités de la vie dans l'univers imaginaire que vous allez découvrir.

Batailles

Il vous sera souvent demandé, au long des pages de ce livre, de combattre des créatures de toutes sortes. Parfois, vous aurez la possibilité de choisir la fuite, sinon – ou si vous décidez de toute façon de combattre –, il vous faudra mener la bataille comme suit :
Tout d'abord, vous inscrirez les points d'HABILETÉ et d'ENDURANCE de la créature dans la première case vide des *Rencontres avec un Monstre*, sur votre *Feuille d'Aventure*. Les points correspondant à chaque créature sont donnés dans le livre chaque fois que vous faites une rencontre.

Le combat se déroule alors ainsi :

1. Jetez les deux dés pour la créature. Ajoutez ses points d'HABILETÉ au chiffre obtenu. Ce total vous donnera la *Force d'Attaque* de la créature.
2. Jetez les deux dés pour vous-même. Ajoutez le chiffre obtenu à vos propres points d'HABILETÉ. Ce total représente votre *Force d'Attaque.*
3. Si votre *Force d'Attaque* est supérieure à celle de la créature, vous l'avez blessée. Passez à l'étape n° 4. Si la *Force d'Attaque* de la créature est supérieure à la vôtre, c'est elle qui vous a blessé. Passez à l'étape n° 5. Si les deux *Forces d'Attaque* sont égales, vous avez chacun esquivé les coups de l'autre – reprenez le combat en recommençant à l'étape n° 1.
4. Vous avez blessé la créature, vous diminuez donc de deux points son ENDURANCE. Vous pouvez également vous servir de votre CHANCE pour lui faire plus de mal encore (voir page 16).
5. La créature vous a blessé, vous ôtez alors deux points à votre ENDURANCE. Vous pouvez également faire usage de votre CHANCE (voir page 16).
6. Modifiez votre score d'ENDURANCE ou celui de la créature, selon le cas. (Faites de même pour vos points de CHANCE si vous en avez fait usage – voir page 16.)

7. Commencez le deuxième *Assaut* (en reprenant les étapes de 1 à 6). Vous poursuivrez ainsi l'ordre des opérations jusqu'à ce que vos points d'ENDURANCE ou ceux de la créature que vous combattez aient été réduits à zéro (mort).

Fuite

À certaines pages, vous aurez la possibilité de fuir un combat s'il vous semble devoir mal se terminer pour vous. Si vous prenez la fuite, cependant, la créature vous aura automatiquement infligé une blessure tandis que vous vous échappez. (Vous ôterez alors deux points à votre ENDURANCE.) C'est le prix de la couardise. Pour cette blessure, vous pourrez toutefois vous servir de votre CHANCE selon les règles habituelles (voir page 16). La *Fuite* n'est possible que si elle est spécifiée à la page où vous vous trouverez.

Combat avec plus d'une Créature

Si vous croisez plus d'une créature, lors de certaines rencontres, vous lirez à la page correspondante les instructions qui vous permettront de mener la bataille. Parfois, vous les affronterez comme si elles n'étaient qu'un seul monstre ; parfois, vous les combattrez une par une.

Chance

À plusieurs reprises au cours de votre aventure, lors de batailles ou dans des situations qui font intervenir la chance ou la malchance (les détails vous seront donnés dans les pages correspondantes) vous aurez la possibilité de faire appel à votre chance pour essayer de rendre une issue plus favorable. Mais attention ! L'usage de la chance comporte de grands risques et si vous êtes *mal*chanceux, les conséquences pourraient se révéler désastreuses.

Voici comment on peut se servir de la chance : jetez deux dés. Si le chiffre obtenu est *égal ou inférieur* à vos points de CHANCE, vous êtes *chanceux*, et le résultat tournera en votre faveur. Si ce chiffre est *supérieur* à vos points de CHANCE, vous êtes *malchanceux* et vous serez pénalisé.

Cette règle s'intitule : *Tentez votre Chance.* Chaque fois que vous « Tenterez votre Chance », il vous faudra ôter un point à votre total de CHANCE. Ainsi, vous vous rendrez bientôt compte que plus vous vous fierez à votre chance, plus vous courrez de risques.

Utilisation de la Chance dans les Combats

À certaines pages du livre, il vous sera demandé de *Tenter votre Chance* et vous serez averti de ce qui vous arrivera selon que vous serez *chanceux* ou *malchanceux*. Lors des batailles, cependant, vous pourrez toujours *choisir* d'utiliser votre chance, soit pour infliger une blessure plus grave à une créature que vous venez de blesser, soit pour minimiser les effets d'une blessure qu'une créature vient de vous infliger.

Si vous venez de blesser une créature, vous pouvez *Tenter votre Chance* à la manière décrite plus haut. Si vous êtes *chanceux*, vous avez infligé une blessure grave et vous pouvez ôtez deux points de plus au score d'ENDURANCE de la créature. Si vous êtes *malchanceux*, cependant, la blessure n'était qu'une simple écorchure, et vous devez rajouter un point au score d'ENDURANCE de la créature (c'est-à-dire qu'au lieu d'enlever les deux points correspondant à la blessure, vous n'aurez ôté qu'un seul point).

Si la créature vient de vous blesser, vous pouvez *Tenter votre Chance* pour essayer d'en minimiser les effets. Si vous êtes *chanceux*, vous avez réussi à atténuer le coup. Rajoutez alors un point d'ENDURANCE (c'est-à-dire qu'au lieu de deux points ôtés à cause de la blessure, vous n'aurez qu'un point en moins). Si vous êtes *malchanceux*, le coup que vous avez pris était plus grave. Dans ce cas, enlevez encore un point à votre ENDURANCE.

Rappelez-vous que vous devez soustraire un point de votre total de CHANCE chaque fois que vous *Tentez votre Chance.*

Comment rétablir votre Habileté, votre Endurance et votre Chance

Habileté

Vos points d'HABILETÉ ne changeront pas beaucoup au cours de votre aventure. À l'occasion, il peut vous être demandé d'augmenter ou de diminuer votre score d'HABILETÉ. Une arme magique peut augmenter cette HABILETÉ, mais rappelez-vous qu'on ne peut utiliser qu'une seule arme à la fois ! Vous ne pouvez revendiquer deux bonus d'HABILETÉ sous prétexte que vous disposez de deux épées magiques. Vos points d'HABILETÉ ne peuvent jamais excéder leur total de départ sauf en certaines circonstances spécifiques. Boire la potion d'Adresse (voir plus loin) vous permettra à tout moment de rétablir votre HABILETÉ à son niveau de départ.

Endurance et Provisions

Vos points d'ENDURANCE changeront beaucoup au cours de votre aventure en fonction des combats que vous aurez à livrer à des monstres ou des tâches ardues qu'il vous faudra accomplir. Lorsque vous approcherez du but, votre niveau d'endurance sera peut-être dangereusement bas et les combats se révéleront alors pleins de risques, aussi, soyez prudent !

Votre sac à dos contient suffisamment de Provisions pour dix repas. Vous ne pouvez vous reposer et manger que lorsque vous en recevez l'autorisation au cours des pages et vous n'avez droit de prendre qu'un seul repas à la fois. Un repas vous rend 4 points d'ENDURANCE. Quand vous prenez un repas, ajoutez 4 points à votre ENDURANCE et enlevez-en 1 à vos *Provisions.* Une case réservée à l'*État de vos Provisions* figure sur la *Feuille d'Aventure* pour vous permettre de noter où en sont vos vivres. Rappelez-vous que vous avez un long chemin à parcourir, aussi, sachez utiliser vos Provisions avec prudence !
Souvenez-vous également que vos points d'ENDURANCE ne peuvent pas excéder leur ni-

veau de départ sauf si cela vous est spécifiquement indiqué sur une page du livre. Boire la Potion de Vigueur rétablira à tout moment votre ENDURANCE à son niveau initial.

Chance

Vos points de CHANCE augmentent au cours de l'aventure lorsque vous êtes particulièrement chanceux. Les détails vous seront donnés au long des pages. Rappelez-vous que, comme pour l'ENDURANCE et l'HABILETÉ, vos points de CHANCE ne peuvent excéder leur niveau de départ que si vous recevez des instructions spécifiques à ce sujet. Boire la Potion de Bonne Fortune (voir plus loin) rétablira à tout moment votre CHANCE à son niveau initial et augmentera d'un point votre CHANCE *de départ.*

Equipements et potions

Au début de votre aventure, vous ne disposerez que d'un équipement minimum, mais vous pourrez trouver d'autres accessoires au cours de vos voyages. Vous êtes armé d'une épée et vêtu d'une armure de cuir. Vous portez sur vos épaules un sac à dos dans lequel vous rangerez vos provisions et les trésors que vous ramasserez. Vous avez également une lanterne pour vous éclairer.

Par ailleurs, vous avez droit à une bouteille contenant une potion magique qui vous aidera dans votre quête. Vous aurez à choisir entre les trois potions suivantes :
La Potion d'Adresse qui vous rend vos points d'HABILETÉ. La Potion de Vigueur qui vous rend vos points d'ENDURANCE. La Potion de Bonne Fortune qui vous rend vos points de CHANCE en ajoutant 1 point à votre total de départ.

Vous pouvez à tout moment boire l'une de ces potions au cours de votre aventure. En prenant une mesure de potion, vous retrouverez vos points d'HABILETÉ, d'ENDURANCE ou de CHANCE tels qu'ils étaient à leur niveau initial (et la Potion de Bonne Fortune ajoutera 1 point au total de CHANCE dont vous disposiez au départ. Lorsque vous retrouverez votre CHANCE, il faudra donc y ajouter ce point).
Chaque bouteille de potion contient deux mesures, c'est-à-dire que vous pourrez retrouver deux fois vos points de départ, au cours d'une même aventure, dans la catégorie choisie. Chaque fois que vous buvez une mesure, notez-le sur votre *Feuille d'Aventure*. Rappelez-

vous également que vous n'avez droit qu'à *une seule* des trois potions, aussi, choisissez-la avec discernement !

Indications sur le jeu

Il y a un bon chemin à trouver dans la montagne du sorcier, et il vous faudra plusieurs tentatives pour le découvrir. Prenez des notes et dessinez une carte au fur et à mesure de votre exploration. Cette carte vous servira lors de prochaines aventures et vous permettra d'avancer plus rapidement pour atteindre des endroits encore inconnus.

Toutes les pièces ne contiennent pas de trésor ; certaines d'entre elles recèlent des pièges ou des monstres qui se révéleront sans aucun doute très dangereux. Il y a beaucoup de passages qui ne mènent nulle part, et il se peut que vous progressiez à l'intérieur de la montagne, sans pour autant découvrir le trésor du Sorcier si vous ne ramassez pas sur votre chemin certains objets bien précis.

Vous trouverez diverses clés dans les salles du souterrain. Mais vous ne parviendrez à vous emparer du trésor qu'en ayant avec vous la clé ouvrant le coffre qui le contient. Il faudra vous attendre à de nombreuses déceptions lorsque vous serez dans la montagne au sommet de feu.

Il n'y a qu'un minimum de risques à prendre pour découvrir le bon chemin, et n'importe quel joueur, même si ses points de départ sont faibles, peut trouver très facilement la voie.

Puisse la chance des dieux vous accompagner au long de votre aventure !

Rumeurs

Seul un aventurier téméraire entreprendrait une quête aussi périlleuse sans avoir préalablement essayé de savoir le plus de choses possibles sur la montagne au sommet de feu et ses trésors. Avant d'arriver au pied de la montagne, vous avez passé plusieurs jours avec les habitants d'un village des environs qui se trouve à deux jours de marche. Comme vous êtes sympathique, vous n'avez pas eu de difficultés à vous faire des amis parmi les paysans du coin. Bien qu'ils vous aient raconté beaucoup d'histoires au sujet du mystérieux sanctuaire du sorcier, vous ne pouvez pas avoir la certitude que tous ces récits – ni même un seul d'entre eux – se fondent sur des faits réels. Les villageois ont vu passer de nombreux aventuriers qui s'en allaient vers la montagne, mais très peu en sont revenus. C'est un voyage extrêmement dangereux, voilà au moins quelque chose dont vous êtes sûr. Parmi ceux qui ont reparu au village, il n'en est pas un seul qui ait envisagé de retourner dans la montagne au sommet de feu.

Il semble qu'il y ait quelque vérité dans la rumeur selon laquelle le trésor du Sorcier serait enfermé dans un coffre somptueux doté de deux serrures dont les clés sont gardées par diverses créatures à l'intérieur des souterrains. Le Sorcier lui-même disposerait d'un puissant pouvoir. Certains le décrivent comme un vieillard, d'autres comme un jeune homme. D'après certains villageois, son pouvoir lui viendrait d'un jeu de cartes magique, mais d'autres prétendent que sa force réside dans les gants de soie noire qu'il porte en permanence.

L'accès à la montagne est gardé, paraît-il, par des lutins au visage constellé de verrues, des créatures stupides qui ne pensent qu'à manger et à boire. A mesure qu'on avance à l'intérieur, les créatures deviennent plus redoutables. Pour atteindre les salles intérieures, il faut franchir une rivière. Il y a un bac qui la traverse régulièrement, mais le passeur, à ce qu'on dit, tient à recevoir le prix de ses services, et il convient donc de se munir d'une Pièce d'Or pour le voyage (inscrivez-la sur votre *Feuille d'Aventure*). Les gens du cru vous conseillent également de dresser une bonne carte au fur et à mesure de vos déambulations, car sans cela vous seriez irrémédiablement perdu au cœur de la montagne.

Quand arrive enfin le jour du départ, tout le village vient vous souhaiter un voyage sans encombre. Beaucoup de femmes, ainsi que des enfants et des vieillards, ont la larme à l'œil. Vous ne pouvez vous empêcher de vous demander si ce ne sont pas des larmes de tristesse versées par des yeux qui ne vous reverront plus jamais vivant...

Et maintenant, tournez la page !

1 *Son flanc escarpé, face à vous, semble avoir été déchiqueté par les griffes d'une gigantesque créature.*

1

Vos deux jours de marche sont enfin terminés. Après avoir ôté votre épée de son fourreau, vous la déposez sur le sol et vous poussez un soupir de soulagement en vous asseyant sur un rocher couvert de mousse pour prendre quelques instants de repos. Vous vous étirez, vous vous frottez les yeux, puis vous levez votre regard vers la montagne au sommet de feu.

La montagne elle-même paraît menaçante. Son flanc escarpé, face à vous, semble avoir été déchiqueté par les griffes de quelque créature gigantesque. Il est hérissé d'à-pics rocheux aux angles tranchants dont on a peine à croire qu'ils aient été façonnés par la nature. Au sommet, on aperçoit une couleur d'un rouge sinistre – sans doute l'effet d'une étrange végétation – qui a donné son nom à la montagne. Personne, peut-être, ne saura jamais ce qui pousse là-haut, car il est certainement impossible d'escalader ce pic.

Votre quête commence maintenant. De l'autre côté de la clairière, il y a l'entrée d'une caverne sombre. Vous ramassez votre épée, vous vous relevez et vous pensez à tous les dangers qui vous attendent. Puis, avec détermination, vous remettez l'épée dans son fourreau et vous vous avancez vers l'entrée de la caverne.

Vous jetez un coup d'œil dans les ténèbres et vous apercevez des parois suintantes et sombres ainsi que des flaques d'eau sur le sol de pierre. L'air est froid et humide. Vous allumez votre lanterne et vous faites prudemment quelques pas dans l'obscurité. Des toiles d'araignées vous balaient le visage et vous entendez le bruit que font sur le sol des pattes minuscules ; ce sont probablement des rats qui prennent la fuite. Vous entrez dans la caverne. Après avoir parcouru quelques mètres, vous arrivez à une bifurcation. Irez-vous vers l'ouest (rendez-vous alors au **71**) ou vers l'est (rendez-vous au **278**) ?

2

Tentez votre Chance. Si vous êtes chanceux, vous parvenez à vous enfuir sans éveiller l'attention de l'Ogre. Si vous êtes malchanceux, vous poussez un juron en trébuchant sur une petite pierre que vous envoyez rouler à travers la caverne. Vous tirez votre épée, au cas où l'Ogre vous aurait entendu – rendez-vous au **16**. Si vous avez eu de la chance, vous rampez le long du couloir jusqu'au croisement. Rendez-vous au **269**.

3

La cloche tinte faiblement, et quelques instants plus tard, vous voyez un vieil homme tout desséché grimper dans une barque amarrée à la rive nord. Il rame lentement dans votre direction, puis s'avance vers vous en clopinant. Il vous demande 3 Pièces d'Or. Vous protestez contre ce tarif trop élevé, et il marmonne une vague excuse en invoquant « l'inflation ». Au bout d'un moment, vos protestations le mettent en colère. Allez-vous lui payer les trois Pièces d'Or (rendez-vous dans ce cas au **272**) ou le menacer (et vous irez alors au **127**) ?

4

Vous vous trouvez dans un couloir nord-sud. Au nord, le passage s'oriente vers l'est à quelques mètres devant vous. Si vous voulez explorer l'endroit, rendez-vous au **46**. Au sud, le couloir tourne également vers l'est. Si vous préférez aller de ce côté, rendez-vous au **332**.

5

Sur le mur est du passage, il y a une porte de bois brut. En écoutant à la porte, vous entendez quelqu'un chantonner gaiement. Voulez-vous frapper à la porte et entrer (rendez-vous alors au **97**), ou continuerez-vous vers le nord (rendez-vous au **292**) ?

6

La haute porte n'a pas de poignée. Vous essayez de l'enfoncer, mais sans résultat. La porte ne bougera pas. Vous décidez d'abandonner et vous repassez par l'ouverture du couloir est-ouest à quelque distance en arrière. Rendez-vous au **89**.

7

Vous êtes sur la berge nord d'une rivière au fort courant, dans une grande caverne souterraine. Rendez-vous au **214**.

8

Le passage devant vous aboutit à une porte solide. Vous essayez d'écouter, mais vous n'entendez rien. Vous tournez alors la poignée, la porte s'ouvre et vous entrez dans la pièce. Tandis que vous y jetez un coup d'œil, vous entendez un grand cri derrière vous et vous vous retournez aussitôt : un homme aux allures de sauvage bondit sur vous en brandissant une hache d'armes. C'est un BARBARE fou, et il vous faut le combattre.

BARBARE HABILETÉ : 7 ENDURANCE : 6

Il y a une porte dans le mur d'en face, situé au nord. Vous pouvez vous enfuir par là pendant le combat (rendez-vous au **189**). Si vous avez vaincu le Barbare, rendez-vous au **273**.

9

Stupéfait que votre mensonge ait réussi, vous décidez de pousser un peu plus loin votre chance. Vous pouvez soit examiner les outils du Squelette, soit faire semblant de chercher des feuilles de plans de travail, en fouillant les tiroirs des divers établis. Si vous choisissez les outils, rendez-vous au **34**. Si vous fouillez les tiroirs, rendez-vous au **322**. Vous entendez un bruit qui vient de derrière la porte située au nord, et vous réalisez qu'il va falloir vous dépêcher !

10

Vous êtes revenu à la bifurcation et vous prenez la direction du nord. Rendez-vous au **77**.

11

Vous suivez le passage vers l'ouest jusqu'à ce qu'il tourne vers le sud. Juste avant ce coude, il y a une pancarte qui indique : « En construction. » Devant vous, les premières marches d'un escalier qui descend. Trois marches seulement ont été construites. Sur le sol sont posés des pelles, des pioches et d'autres outils et lorsque vous avez tourné le coin, ils se mettent soudain à s'agiter et à travailler pour continuer de bâtir l'escalier. Vous voyez maintenant tous ces outils creuser et piocher comme s'ils étaient tenus par des ouvriers invisibles. Une chanson fredonnée s'élève et vous reconnaissez l'air de « Le travail, c'est la

11 *Vous voyez maintenant tous ces outils creuser et piocher...*

Santé ». Devant ce spectacle, vous éclatez de rire. La scène en effet est cocasse. Vous vous asseyez pour observer ces outils magiques ; vous parlez même à certains d'entre eux. Prenez 2 points d'ENDURANCE et 1 point d'HABILETÉ pendant que vous vous détendez. Puis, revenez dans le passage en remontant vers le croisement ; là, vous pouvez choisir d'aller au nord (rendez-vous au **366**) ou au sud (rendez-vous au **250**).

12

Au moment où vous tirez la poignée, un bruit métallique assourdissant retentit dans le passage. Vous la repoussez frénétiquement pour arrêter le signal d'alarme, mais il a déjà produit son effet. Vous entendez des bruits de pas qui s'approchent dans le couloir. Rendez-vous au **161** pour voir ce que vous avez attiré. Notez le chiffre **12** car il vous faudra y revenir après le combat que vous allez livrer.
Lorsque vous aurez vaincu la créature, vous pouvez soit retourner à la bifurcation (rendez-vous au **256**), soit pousser la poignée (rendez-vous au **364**).

13

Votre tête vous fait mal et vous vous sentez tout étourdi en vous relevant. Les quatre hommes se mettent en mouvement et s'avancent vers vous en file indienne, leurs armes prêtes. Vous cherchez votre chemin à tâtons le long du mur pour essayer d'atteindre la porte du sud, et il s'en faudra d'un cheveu que vous n'y arriviez. Votre pied glisse sur un caillou et vous tombez par terre.

Avant d'avoir pu vous relever, les créatures sont sur vous. Rendez-vous au **282**.

14

Il n'y a pas trace de passage secret ; en revanche, vous entendez des bruits de pas qui viennent vers vous. Pour découvrir ce qui s'approche ainsi, rendez-vous au **161**. Il vous faut combattre cette créature.
Si vous avez vaincu le monstre, rendez-vous au **117**. N'oubliez pas de noter ce numéro pour savoir ou vous devrez vous rendre.

15

Tandis que vous êtes assis sur le banc en train de manger, vous vous détendez profondément et les courbatures de votre corps semblent disparaître d'elles-mêmes. Ce lieu de repos est enchanté. Vous avez droit à deux points d'ENDURANCE en plus de ceux que vous rend votre repas (mais seulement si ce total n'excède pas vos points d'ENDURANCE de départ) ; vous pouvez également reprendre 1 point d'HABILETÉ si vous en avez perdu. Lorsque vous êtes prêt à repartir, avancez le long du couloir, et rendez-vous au **367**.

16

Vous tirez votre épée du fourreau ; l'Ogre vous a entendu et se prépare à l'attaque :

OGRE HABILETÉ : 8 ENDURANCE : 10

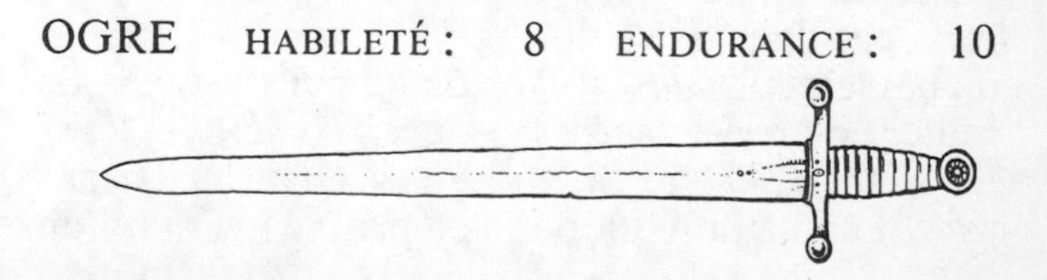

Si vous êtes vainqueur, rendez-vous au **50**. Après le deuxième assaut, vous pouvez fuir le long du corridor. (Rendez-vous au **269**.)

17

À l'aide de l'épieu et du maillet (ou d'un maillet de fortune si vous n'en avez pas), vous formez une croix et vous avancez vers le Vampire en l'acculant dans un coin. Le Vampire siffle et essaye de vous attraper, mais il ne peut s'approcher de vous. Il sera cependant difficile de lui enfoncer l'épieu dans le cœur.
Tandis que vous marchez vers lui, vous trébuchez et tombez. Par un coup de chance, l'épieu est projeté en avant, et atteint le monstre hurlant. *Tentez votre chance.* Si vous êtes chanceux, l'épieu transperce le cœur du Vampire. Si vous êtes malchanceux, le Vampire est simplement écorché par le coup (enlevez-lui 3 points d'ENDURANCE) et il vous rejette en arrière vers la porte située à l'ouest. Si vous fuyez par cette porte, rendez-vous au **380**. Si vous continuez à combattre, rendez-vous au **144**. Si vous avez eu de la chance et que vous avez tué le Vampire, vous pouvez chercher son trésor – rendez-vous alors au **327**.

18

Vous marchez vers l'ouest le long du couloir. Au bout d'une cinquantaine de mètres, le passage s'oriente vers le nord. Après avoir fait deux ou trois pas dans ce couloir, vous entendez un bruit d'éboulement sous vos pieds et vous essayez de sauter en arrière tandis que le sol se dérobe. *Tentez votre Chance.* Si vous êtes chanceux, vous avez réussi à faire un bond en arrière avant qu'un trou ne se forme. Si vous êtes malchanceux, vous n'avez pas été assez rapide et vous tombez dans une fosse de deux mètres de profondeur. Vous perdez 1 point d'ENDURANCE. Si vous avez de la chance, vous feriez mieux de retourner à la bifurcation (rendez-vous au **261**). Si vous n'avez pas eu de chance, rendez-vous au **348**.

19

Ces deux créatures malfaisantes sont des LUTINS. Ils vous attaquent un par un.

	HABILETÉ	ENDURANCE
Premier LUTIN	5	5
Deuxième LUTIN	5	6

Si vous parvenez à tuer les lutins, rendez-vous au **317**.

20

La bagarre commence. Vous avez votre épée, ils ont leurs haches. Ils vous affrontent un par un.

	HABILETÉ	ENDURANCE
Premier NAIN	7	4
Deuxième NAIN	6	6
Troisième NAIN	7	5
Quatrième NAIN	7	5

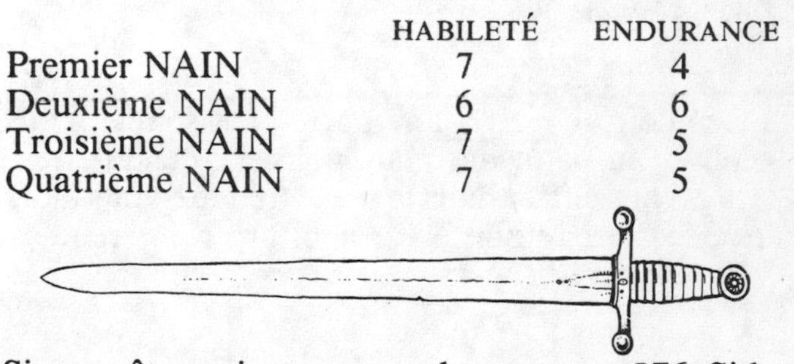

Si vous êtes vainqueur, rendez-vous au **376**. Si le combat tourne mal, vous pouvez fuir par la porte. Rendez-vous dans ce cas au **291** – mais n'oubliez pas votre *pénalité* de fuite.

21

Le sang verdâtre des farfadets morts s'écoule de leurs corps en dégageant une odeur repoussante. Vous contournez les cadavres et vous examinez le coffre. Il est solide, fait de chêne et de fer, et bien fermé. Vous pouvez essayer de briser la serrure à l'aide de votre épée (rendez-vous alors au **339**), ou le laisser et sortir par la porte ouverte (rendez-vous au **293**).

22

Vous furetez un peu partout à la recherche d'une trace de porte secrète, mais vous n'en trouvez pas. Tandis que vous faites une pause pour réfléchir à la situation, un mince jet de gaz s'échappe du plafond en sifflant. Vous toussez à vous en étouffer pour essayer de libérer vos poumons, mais rien à faire, vous tombez à genoux, la tête vous tourne et vous vous écroulez sur le sol en perdant connaissance. Lorsque vous revenez à vous, vous vous trouvez dans un endroit inconnu. Rendez-vous au **4**.

23

Le couloir aboutit à une porte bien solide. Vous écoutez au panneau, mais vous n'entendez rien. Allez-vous entrer dans la pièce (rendez-vous alors au **326**), ou retourner à la bifurcation (rendez-vous au **229**) ?

24

Après avoir subi votre troisième blessure, vous remarquez que votre force décline. Vous perdez 1 point d'HABILETÉ. Vous en déduisez qu'il s'agit, là encore, d'un pouvoir magique de la repoussan-

te créature et vous vous sentez parcouru d'un frisson de panique. Allez-vous continuer ou prendre la fuite ? Si vous choisissez de vous enfuir, inscrivez votre *pénalité*, et rendez-vous au **360** en vous échappant par la porte située au nord. Sinon, le combat continue.
Si vous avez vaincu la créature, rendez-vous au **135**. Mais désormais, à chaque troisième blessure que vous inflige le monstre, vous perdez un point d'HABILETÉ.

25

Les peintures sont des portraits d'hommes. Un frisson vous parcourt l'échine lorsque vous lisez sur une plaque le nom de celui qui se trouve sur le mur ouest – il s'agit de Zagor, le Sorcier dont vous cherchez le trésor. En regardant ce portrait, vous vous rendez compte que vous vous mesurez à un adversaire redoutable. Vous avez le sentiment d'être observé et vous remarquez les yeux perçants qui suivent chacun de vos mouvements. Vous vous sentez attiré vers ce portrait et votre peur s'accroît. Vous perdez un point d'HABILETÉ. Avez-vous le courage d'essayer de combattre le Sorcier ? Vous pouvez soit sortir tout droit par la porte nord (et vous rendre au **90**) – mais il s'agira alors d'une *fuite* –, soit chercher dans votre sac à dos une arme que vous pourriez utiliser pour combattre le pouvoir du Sorcier – et dans ce cas, rendez-vous au **340**.

26

Vous vous rappelez le petit livre à la reliure de cuir de Di Maggio, et vous prononcez silencieusement, du bout des lèvres, la formule magique enfermée dans ses pages.

Vous poussez un grand cri en direction du Dragon, et il s'immobilise. Il penche la tête de côté et vous regarde d'un air soupçonneux. Vous lui jetez une pierre à la tête et elle rebondit sur son mufle. La bête laisse échapper un cri de colère et prend une profonde inspiration qui provoque un rugissement dans sa gorge. Le Dragon souffle et vous apercevèz entre ses dents une autre boule de feu en train de se former. Vous vous tenez prêt, et lorsque la boule de feu jaillit de sa gueule, vous vous écriez :

Ekil Erif
Ekam Erif
Erif Erif
Di Maggio

La boule de feu s'arrête aussitôt. Avec un cri de douleur, le Dragon essaye d'éloigner les flammes de son museau, mais elles continuent de le brûler.

En poussant de terribles hurlements, le monstre fait volte-face et bondit dans les ténèbres, secouant sa tête en tous sens. Rendez-vous au **371**.

27

L'épée est une épée magique, et elle vous aidera à combattre. Aussi longtemps que vous vous servirez de cette épée, vous pourrez augmenter de 2 points votre *total de départ* en matière d'HABILETÉ. Vous pouvez également ajouter deux points à votre *total actuel* d'HABILETÉ. Vous gagnez également 2 points de CHANCE pour avoir trouvé cette épée. Jetez votre ancienne épée et rendez-vous au **319**. Si vous préférez conserver votre propre épée, laissez vos points d'HABILETÉ au niveau où ils sont et prenez seulement le bonus de CHANCE.

28

L'énorme Géant est étendu raide mort ! Vous fouillez sa caverne et n'y trouvez pas grand-chose d'utile en dehors d'une bourse qu'il porte à sa ceinture et qui contient 8 Pièces d'Or. Vous êtes un peu inquiet en ce qui concerne la deuxième chaise. À qui appartient-elle ? Vous décidez de quitter la caverne par le chemin que vous aviez pris. Rendez-vous au **351**. Mais avant cela, ajoutez 2 points de CHANCE et 2 autres d'HABILETÉ pour votre victoire.

29

À part les bottes auxquelles vous décidez de n'accorder aucune attention, il y a peu de choses dans la caverne. Vous choisissez de rebrousser chemin dans la direction d'où vous êtes venu. Rendez-vous au **375**.

30

Une pierre se détache du roc et révèle une anfractuosité dans laquelle est cachée une corde. Si vous voulez tirer sur la corde, rendez-vous au **67**. Si vous pensez qu'il est plus prudent de n'y point toucher, vous pouvez revenir au croisement (rendez-vous dans ce cas au **267**).

31

Si vous êtes en possession de la pierre précieuse arrachée à l'œil du Cyclope, vous la tenez devant le Sorcier. Son regard menaçant se transforme alors en une expression de douleur. De toute évidence, il ressent le pouvoir de la pierre. Soudain, ses yeux deviennent blancs et son visage flasque.

Votre confiance en vous-même se renforce lorsque vous réalisez que vous venez de gagner votre première vraie bataille. Prenez 2 points d'HABILETÉ. Rangez la pierre précieuse dans votre sac à dos et sortez par la porte nord. Rendez-vous au **90**.

32

Vous lancez le Fromage à travers la pièce en direction des Rats qui se battent pour le dévorer, en échangeant des coups de pattes et de dents.

Ayant ainsi détourné leur attention, il ne vous reste plus qu'à traverser la pièce et à sortir par la porte qui s'ouvre dans le mur nord. Rendez-vous au **124**. Prenez 2 points de CHANCE pour prix de votre bonne fortune.

33

La créature endormie se réveille en sursaut. Elle bondit et se rue sur vous, sans arme. Vous devriez pouvoir la vaincre avec votre épée, mais ses dents acérées semblent plutôt dangereuses. Vous avez le droit de prendre la *fuite* par la porte (rendez-vous alors au **320**) mais vous pouvez choisir de rester et de combattre le FARFADET qui vous attaque.

FARFADET HABILETÉ : 6 ENDURANCE : 4

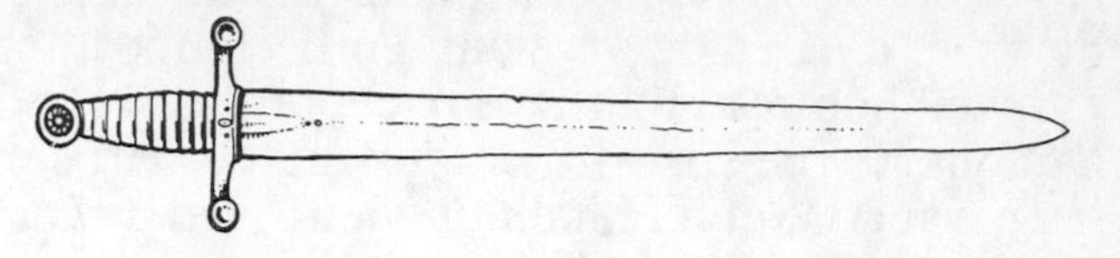

Si vous êtes vainqueur, vous pouvez prendre la boîte. Rendez-vous au **147**.

34

En examinant les outils, vous trouvez un maillet en bois bien dur et un ciseau muni d'une solide lame d'argent. Vous pouvez prendre l'un ou l'autre de ces outils, à condition d'abandonner en échange l'une des pièces de votre équipement. Si vous acceptez cet échange, modifiez votre Liste d'Équipement en conséquence. Le bruit en provenance de la porte nord devient plus fort et vous allez voir de quoi il s'agit. Rendez-vous au **96**.

35

Lorsque vous entrez dans la pièce, la porte se referme derrière vous. Vous entendez un déclic et un sifflement. Au milieu du plafond, il y a un orifice par lequel s'échappe un jet de gaz à l'odeur âcre. Vous prenez une inspiration et vous toussez très fort. Vous regardez la porte, puis la clé. Allez-vous retourner à cette porte et prendre la fuite (rendez-vous alors au **136**), ou retenir votre respiration et vous précipiter sur la clé pour vous en emparer (rendez-vous dans ce cas au **361**) ?

36

La porte verrouillée s'ouvre à la volée et une

puanteur nauséabonde vous monte aux narines. A l'intérieur de la pièce, le plancher est recouvert de vase, d'os et de végétaux en décomposition. Un vieil homme aux cheveux ébouriffés, vêtu de haillons, se rue sur vous en hurlant. Sa barbe est longue et grise et il brandit un vieux pied de chaise en bois. Est-il simplement fou comme il semblerait, ou bien y a-t-il là un nouveau piège ? Vous avez le choix entre crier plus fort que lui pour essayer de le calmer (et vous rendre au **263**), ou tirer votre épée et l'attaquer (vous irez dans ce cas au **353**).

37

Debout au milieu du croisement, vous avez le choix entre aller au nord (rendez-vous au **366**), à l'ouest (rendez-vous au **11**), ou au sud (rendez-vous au **277**).

38

Vous ouvrez la porte et vous trouvez le garde-manger du Loup-Garou, un mélange d'os et de viande avariée. L'odeur est repoussante mais vous découvrez cependant un bocal d'œufs de caille qui semblent tout à fait mangeables. Si vous voulez, vous pouvez les prendre, ils vous feront deux repas supplémentaires ; ajoutez alors 2 points à vos Provisions.
De retour dans la pièce, vous pouvez maintenant sortir par la porte sud. Rendez-vous au **66**.

39

Votre adversaire est surpris que vous ayez disparu et, levant les mains pour les mettre en visière au-dessus de ses yeux, il scrute la pièce d'un

36 *À l'intérieur de la pièce, le plancher est recouvert de vase, d'os et de végétaux en décomposition.*

regard intense. Il sent votre présence, mais ne sait pas exactement où vous êtes. Vous tirez votre épée et vous marchez sur lui. Il penche la tête et renifle. En le combattant, il vous faudra maintenir une certaine distance entre lui et vous car, s'il parvient à vous saisir, votre invisibilité ne vous sera plus d'aucun secours. Mais tant que vous restez inaccessible, vous bénéficiez des avantages suivants :

Vous pouvez ajouter 2 points au chiffre obtenu en lançant le dé lorsque vous déterminez votre Force d'Attaque.

Chaque assaut victorieux lui enlève 3 points d'ENDURANCE, car, comme il ne peut pas vous voir, il lui est impossible de se défendre efficacement.

Chaque fois qu'il vous inflige une blessure, jetez un dé. Si le chiffre obtenu est impair, il vous a blessé normalement. Si ce chiffre est 2 ou 4, il ne vous a infligé qu'une blessure à 1 point. Si vous faites un 6, vous avez paré le coup et vous n'êtes pas blessé.

Menez la bataille à son terme :

SORCIER HABILETÉ : 11 ENDURANCE : 18

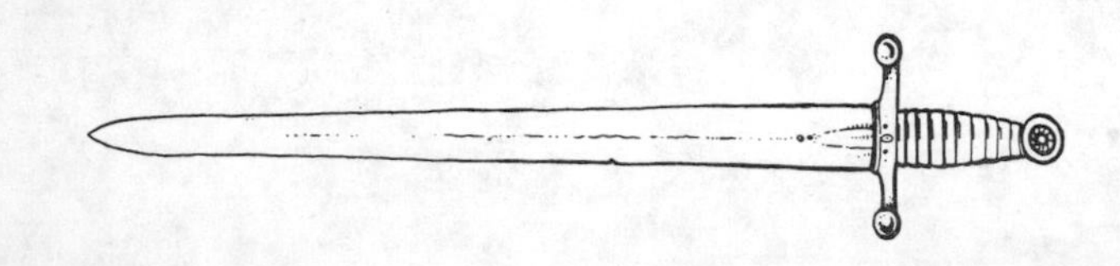

Si vous êtes vainqueur, rendez-vous au **396**.

40

Le bruit perçant devient de plus en plus fort. La douleur est insupportable. Réduisez votre total d'HABILETÉ d'1 point à cause de ce supplice. Vous avancez à tâtons dans le noir pour essayer de trouver un mur. Allez-vous vers :

Le mur ouest ?	Rendez-vous au **355**
Le mur nord ?	Rendez-vous au **265**
Le mur est ?	Rendez-vous au **181**

41

C'est un adversaire redoutable : c'est un ÊTRE ! Il est massif, puissant et malfaisant. Le combat s'engage :

L'ÊTRE	HABILETÉ : 9	ENDURANCE : 6

Vous combattez avec votre épée. Lorsque vous lui aurez infligé une première blessure, rendez-vous au **310**.

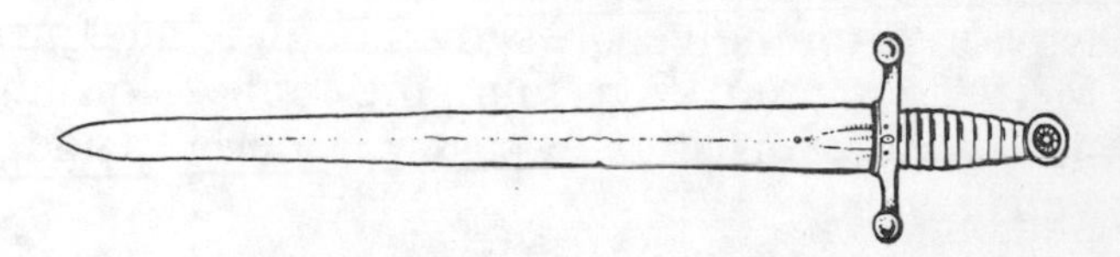

42

Vous arrivez enfin au bout du couloir. Vous vous trouvez à un croisement. Vous pouvez aller à l'ouest (rendez-vous au **257**), ou à l'est (rendez-vous au **113**).

43

Vous êtes dans un passage nord-sud. Pour aller

au nord, rendez-vous au **354**. Pour le sud, rendez-vous au **52**.

44

Haletant après la bataille, vous vous asseyez pour récupérer et vous finissez de manger les Provisions que vous aviez entamées. Finalement, vous rangez vos affaires dans votre sac à dos et vous avancez dans le cours d'eau. Rendez-vous au **399**.

45

Le Fromage heurte le portrait et rebondit. Vous entendez un rire sinistre qui s'élève des murs et vous comprenez que le Sorcier est en train de se moquer de vous. Vous décidez de quitter la pièce par la porte sud. Rendez-vous au **90**.

46

Vous êtes dans un petit passage est-ouest, avec une porte qui barre la direction de l'est. À l'ouest, le passage tourne vers le sud au bout de quelques mètres. Pour suivre ce tournant, rendez-vous au **4**. Si vous choisissez de passer la porte, rendez-vous au **206**.

47

Lorsque vous êtes au milieu de la rivière, le pont se met à se balancer sous votre poids. La rambarde se dérobe brusquement au moment où vous vous appuyez dessus. Lancez un dé. Un 6 vous précipite dans la rivière et vous allez au **158**. De 1 à 5, vous retrouvez votre équilibre. Vous vous rendez alors au **298**.

48

Vous vous trouvez dans un couloir est-ouest. Si vous allez à l'est vous arriverez à un tournant s'orientant vers le nord. Si vous choisissez cette direction, rendez-vous au **391**. Pour aller à l'ouest, rendez-vous au **60**.

49

La porte grince en s'ouvrant sur ses gonds rouillés. La pièce est sombre et vos yeux s'habituent à l'obscurité tandis que vous refermez la porte derrière vous. Vous entendez un bruissement de pas, mais avant que vous ayez pu réagir, vous recevez sur la tête un coup qui vous assomme. Vous perdez 2 points d'ENDURANCE et vous allez au **122**.

50

La créature que vous avez tuée s'écroule sur le sol. Vous fouillez ses vêtements sans rien trouver, mais un petit sac pend à son cou. À l'intérieur du sac se trouve une petite clé de bronze gravée du chiffre *9*. Vous pouvez la prendre si vous le désirez. Il n'y a rien d'autre d'intéressant dans la caverne, et vous sortez en retournant à la bifurcation. Rendez-vous au **269**.

51

Vous buvez la Potion et vous voyez alors une expression d'étonnement naître sur le visage du Troll. Il s'avance vers vous, il essaie de vous toucher, mais vous faites un pas de côté et il ne rencontre que le vide. Il gesticule en tous sens pour tenter de vous saisir, mais vous parvenez facilement à l'esquiver. Il finit par abandonner et retourne dans sa chambre juste à temps, au moment où vous sentez que vous réapparaissez. Prenez 2 points de CHANCE. Vous pouvez continuer votre chemin en direction du nord. Rendez-vous au **287**.

52

Vous vous trouvez à un croisement à angle droit en forme de T. Un passage vers l'est part d'un corridor nord-sud.

Si vous allez au sud	Rendez-vous au **391**
Si vous voulez essayer de découvrir des passages secrets dans le couloir qui mène vers le sud	Rendez-vous au **362**
Si vous allez au nord	Rendez-vous au **354**
Si vous voulez découvrir des passages secrets dans le couloir qui mène vers le nord	Rendez-vous au **234**
Si vous prenez la direction de l'est	Rendez-vous au **291**

53

Vous essayez d'enfoncer la porte d'un vigoureux

coup d'épaule. Lancez deux dés. Si le chiffre obtenu est égal ou inférieur à votre total d'HABILETÉ, la porte s'ouvre (et vous vous rendez au **155**). Si ce chiffre est supérieur à ce total d'HABILETÉ, la porte est ébranlée mais ne bouge pas, et vous grimacez de douleur à cause du choc à l'épaule. Vous perdez alors 1 point d'ENDURANCE et vous continuez votre chemin le long du couloir (rendez-vous au **300**).

54

Vous vous trouvez devant une porte à l'extrémité nord d'un passage nord-sud. Pour aller au sud, rendez-vous au **308**. Pour passer la porte, rendez-vous au **179**.

55

Lancez deux dés. Si le chiffre obtenu est inférieur ou égal à votre total de CHANCE *et* s'il est également inférieur ou égal à votre total d'ENDURANCE, alors, vous parvenez à vous tenir sur le radeau et à le manœuvrer pour atteindre la rive nord (n'enlevez pas de point de CHANCE). Vous arrivez sain et sauf, mais lorsque vous mettez le pied sur la berge, le radeau s'éloigne et dérive en traversant la rivière jusqu'à la rive sud. Rendez-vous au **7**.

Si le chiffre obtenu aux dés excède votre total de CHANCE et/ou d'ENDURANCE, le radeau vous envoie dans l'eau, et il vous faut nager pour revenir sur la rive sud. Rendez-vous alors au **166**.

56

Lorsque votre épée tombe à l'eau, une voix, dans un gargouillement, vous dit : « Merci ! ». À présent, il semble que la seule façon de poursuivre votre chemin soit de nager en suivant le courant vers l'est. Vous plongez dans l'eau. Rendez-vous au **399**.

57

Lorsque vous entrez dans la caverne, vous entendez des bruits de pas sonores derrière vous, des pieds qui se posent lourdement sur le sol rocailleux. Vous vous accroupissez près de l'entrée, dans une petite anfractuosité de rocher. Les pas se font de plus en plus pesants et vous voyez un OGRE immense entrer dans la caverne ! Il mesure plus de deux mètres de haut, et est vêtu de vêtements grossiers taillés dans la peau d'un quelconque animal. Il tient à la main une grosse massue de bois. Vous avez le choix entre :

L'attaquer quand il entre	Rendez-vous au **16**
Essayer de vous glisser au-dehors sans qu'il vous remarque	Rendez-vous au **2**
Essayer de détourner son attention en jetant quelque chose à l'autre bout de la caverne	Rendez-vous au **119**

58

Vous rampez prudemment le long du couloir. Bientôt, il tourne brusquement vers le nord. Il y a dans le coin un solide banc de bois et au-dessus du banc une pancarte sur laquelle on peut lire : « Repose-toi ici, voyageur fourbu. » Vous

58 *Il y a dans le coin un solide banc de bois. Vous pouvez vous arrêter et vous y reposer, si vous le désirez.*

pouvez vous arrêter en cet endroit et prendre un repas si vous le désirez (rendez-vous alors au **15**). Vous pouvez également choisir de continuer (et vous rendre au **367**).

59

Vous marchez vers l'ouest pendant quelque temps, puis vers le nord jusqu'à un étrange tournant en épingle à cheveu qui vous ramène vers le sud. Vous finissez par arriver à un croisement qui vous offre trois voies possibles. Rendez-vous au **150**.

60

Vous marchez le long du couloir pour découvrir que le passage qui mène vers l'ouest est bloqué par une lourde herse. Vous retournez là d'où vous venez. Rendez-vous au **48**.

61

En examinant la caverne, vous entendez soudain un bruit de pas précipités derrière vous, et lorsque vous vous retournez, vous voyez se dessiner devant vous la silhouette noire et saugrenue d'une ARAIGNÉE GÉANTE qui vous a suivi. L'araignée n'est qu'à un mètre de vous et vous tirez aussitôt votre épée pour vous défendre.

ARAIGNÉE GÉANTE HABILETÉ : 7 ENDURANCE : 8

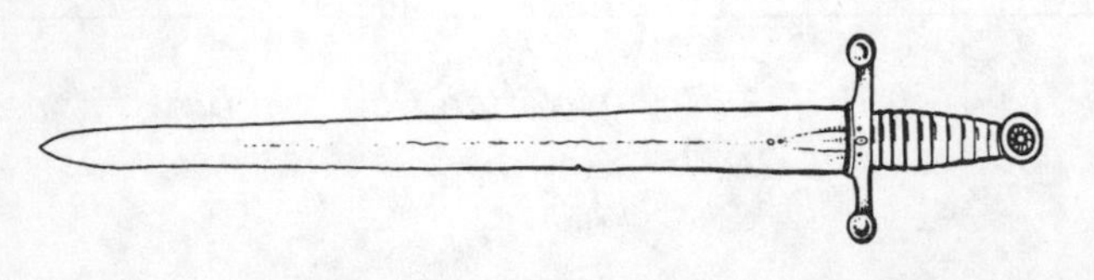

Si vous sortez vainqueur du combat, rendez-vous au **29**. Vous pouvez choisir de prendre la fuite le long du couloir après deux assauts, et vous vous retrouverez alors au croisement. Rendez-vous dans ce cas au **375**.

62

Vous poursuivez votre chemin le long du couloir vers l'est. Au bout d'une trentaine de mètres, le couloir s'oriente au sud. Vous suivez le tournant et vous êtes finalement arrêté par une massive porte blindée. Si vous voulez essayer d'ouvrir la porte, rendez-vous au **6**. Si vous préférez revenir en arrière et passer par l'ouverture étroite, rendez-vous au **89**.

63

Vous marchez le long du couloir et vous vous apercevez qu'il devient de plus en plus étroit. À un certain moment, vous vous baissez car le plafond est de plus en plus bas, et, au même instant, un rire s'élève et se répercute en écho autour de vous. Souhaitez-vous poursuivre ? Si oui, rendez-vous au **281**. Si vous préférez revenir en arrière, rendez-vous au **10**.

64

La Goule danse de joie autour de votre corps et l'étend sur le sol à côté des autres. Puis elle vous retourne et enfonce ses dents dans la partie charnue de votre individu. Ce n'est pas si souvent qu'elle peut se nourrir de chair fraîche.

Votre aventure est terminée.

65

Alors que vous bondissez sur le Chef, son serviteur se relève, ramasse un gourdin et rejoint la mêlée. Mais à votre grand dam, c'est vous qu'il attaque ! Misérable ingrat ! Voyant cela, vous pouvez choisir de prendre la fuite par la porte le long du couloir (rendez-vous au **293**), ou de poursuivre le combat (rendez-vous au **372**). Si vous choisissez la fuite, vous subirez les pénalités habituelles prévues dans ce cas.

66

La porte s'ouvre et vous vous retrouvez dans le passage qui mène à la berge de la rivière. Vous retournez au cours d'eau et vous avez alors le choix : ou bien vous vous rendez devant la porte qui s'ouvre au milieu du pan de roc (et vous allez dans ce cas au **104**), ou bien vous suivez le passage vers l'est le long de la rivière (rendez-vous alors au **99**).

67

Vous tirez la corde et une petite porte s'ouvre, révélant un passage qui mène à un couloir nord-sud. Préférez-vous revenir au croisement (et vous rendre au **267**) ou passer par cette porte secrète (en vous rendant au **177**) ?

68

Les deux Lutins tortionnaires échangent un regard stupéfait, puis ils se tournent vers vous. Ils parlent entre eux et vous font signe d'attendre tandis qu'ils vont chercher un autre Nain pour les distraire. Ils disparaissent de la pièce et vous vous rendez compte que le Nain est tout à fait mort, ainsi que vous l'aviez deviné. Vous estimez préférable de partir et vous vous hâtez le long du couloir en direction du nord. Vous allez au **303**.

69

Au bout d'un moment, le couloir tourne vers le nord et vous le suivez jusqu'à ce que vous arriviez à une autre bifurcation. Là, vous voyez une flèche gravée dans le roc qui indique le nord et vous décidez d'essayer cette direction. Rendez-vous au **244**.

70

Vous suivez vers l'est le couloir au sol pavé, puis vous le suivez vers le nord, puis encore vers l'est, et enfin à nouveau au nord jusqu'à ce que vous aboutissiez à un croisement. Rendez-vous au **267**.

71

Le passage forme un virage à droite en direction du nord. Vous vous approchez prudemment d'une guérite qui se trouve au coin et en jetant un coup d'œil à l'intérieur, vous apercevez une étrange créature qui ressemble à un Lutin, vêtue d'une armure de cuir et endormie à son poste. Vous essayez de passer devant sur la pointe des pieds. *Tentez votre Chance.* Si vous êtes chanceux, le Lutin ne se réveille pas et continue à ronfler bruyamment. Rendez-vous alors au **301.** Si vous êtes malchanceux, vous faites en marchant un bruit qui le réveille, et il ouvre les yeux. Rendez-vous au **248.**

72

Vous avez à présent une nouvelle armure, semblable à la vôtre. Choisissez laquelle vous voulez conserver et jetez l'autre. Rendez-vous au **319.**

73

Devant vous, le passage vous mène en direction du nord. Le sol rocheux devient sableux et finalement, vous marchez sur du sable à gros grains. Vous remarquez que le passage s'élargit et vous entendez le bruit d'une rivière qui coule à quelque distance en avant. Vous poursuivez votre chemin, et vous arrivez dans une grande caverne que traverse la rivière. Rendez-vous au **218.**

74

Tentez votre Chance. Si vous êtes chanceux, vous pouvez échapper à la puissance de son regard et vous préparer à l'attaque. Rendez-vous alors au **279.** Si vous êtes malchanceux, vous êtes sous sa domination et vous laissez tomber votre épée lorsqu'il vous l'ordonne. Rendez-vous dans ce cas au **118.**

75

Vous vous asseyez et prenez un peu de repos

71 *En jetant un coup d'œil à l'intérieur, vous apercevez une étrange créature qui ressemble à un Lutin. Il est vêtu d'une armure de cuir, endormi à son poste.*

après ce combat exténuant. Vous pouvez manger quelques Provisions à présent. Vous arrachez la pierre précieuse à la statue immobile. Elle est lourde et vaut 50 Pièces d'Or. Vous la rangez dans votre sac à dos. En examinant la pièce et la statue vous vous apercevez que sur la poitrine de celle-ci, il y a une plaque de métal amovible. Vous l'enlevez, découvrant ainsi une cachette qui contient une clé. Vous la détaillez et vous remarquez que le nombre *111* est gravé dessus. Avec un sourire, vous rangez la clé, avec la pierre précieuse, dans votre sac à dos, et vous vous mettez en chemin en direction du croisement. Rendez-vous au **93** après avoir pris 3 points de CHANCE – vous avez trouvé là un objet très précieux.

76

Vous arrivez à une autre bifurcation. Une flèche gravée dans le mur indique le nord et vous décidez de suivre cette direction. Rendez-vous au **244**.

77

Après avoir parcouru plusieurs mètres dans le passage, vous arrivez à un croisement qui vous permet d'aller à l'ouest ou à l'est. Il y a une anfractuosité dans la roche du mur nord qui vous offre un abri où vous pourrez manger des Provisions et vous reposer sans risquer de vous faire voir. Si vous souhaitez prendre un repas à cet endroit, faites-le. Vous aurez ensuite le choix entre aller à l'est (en vous rendant au **345**) ou à l'ouest (rendez-vous alors au **18**).

78

Le passage aboutit à une massive porte de bois dotée de gonds en métal. En écoutant à cette porte, vous entendez quelqu'un marmonner étrangement, et un bruit de marmites et de casseroles qui s'entrechoquent. Ils sont plusieurs, là-dedans, cela ne fait aucun doute. Voulez-vous franchir cette porte (et vous rendre au **159**), ou rebrousser chemin (en allant au **237**) ?

79

Le couloir se termine en cul-de-sac. Si vous voulez chercher un passage secret, rendez-vous au **137.** Sinon, retournez au croisement, au **267**.

80

La clé entre dans la serrure et la porte s'ouvre. Vous vous retrouvez alors dans un hangar à bateaux. De nombreux bateaux, à divers stades de leur construction, sont rassemblés en cet endroit. En dehors de la porte que vous venez de franchir, il y en a une autre dans le mur nord. Quand vous entrez, les Squelettes interrompent leurs besognes et tendent leurs cous osseux pour vous regarder passer. Ils ramassent des planches et des marteaux, puis s'avancent vers vous. Ils sont cinq. Vous avez le choix entre :

Leur adresser un sourire gêné et revenir sur vos pas en repassant par la porte pour regagner le couloir	Rendez-vous au **129**
Leur dire que vous êtes venu acheter un bateau	Rendez-vous au **123**
Leur dire que vous êtes leur nouveau patron et leur donner l'ordre de se remettre au travail	Rendez-vous au **195**
Tirer votre épée et vous préparer à la bagarre	Rendez-vous au **140**

81

Un bruit vous fait sursauter et vous incite à quitter la pièce au plus vite. Vous allez examiner la porte nord. Rendez-vous au **205**.

82

La porte s'ouvre sur une petite pièce où règne une forte odeur. Au milieu se trouve une table bancale sur laquelle est posée une bougie allumée. Sous la table, il y a une petite boîte en bois. Une créature de petite taille, à la silhouette trapue, le visage laid et couvert de verrues, dort sur une paillasse posée dans un coin, à l'autre bout de la pièce ; c'est une créature semblable à celle que vous avez trouvée endormie dans la guérite. C'est probablement le veilleur de nuit. Vous pouvez choisir de regagner le couloir et de continuer vers le nord (rendez-vous au **208**) ou de ramper sur le sol de la pièce pour essayer de vous emparer de la boîte sans réveiller la créature. Si vous essayez de voler la boîte, *tentez votre Chance*. Si vous êtes chanceux, la créature ne se réveille pas – rendez-vous alors au **147**. Si vous êtes malchanceux, rendez-vous au **33**.

83

Tentez votre Chance. Si vous êtes chanceux, vous parvenez à franchir la porte nord – rendez-vous alors au **360.** Si vous êtes malchanceux, rendez-vous au **154.**

84

La porte s'ouvre sur une petite pièce confortable, meublée d'une table, de plusieurs chaises et d'une grande bibliothèque qui couvre entièrement l'un des murs. Un vieil homme à la longue barbe grise est assis à la table et sur son épaule, une petite

84 *Un vieil homme... est assis à la table, et, sur son épaule, une petite créature ailée est accroupie.*

créature ailée est accroupie. Cet animal ne mesure pas plus de six centimètres de haut. Il a deux bras et deux jambes ; sa peau a une couleur gris poussière. Il a de petites dents blanches et pointues et ses ailes sont repliées dans son dos. Le vieil homme ne dit rien lorsque vous franchissez la porte, mais il vous fait signe de vous asseoir à la table. Il tient dans sa main deux petits objets blancs qu'il agite devant vous. Vous avez le choix entre :

Vous asseoir comme il vous y invite	Rendez-vous au **204**
Quitter la pièce et revenir au croisement	Rendez-vous au **280**
Tirer votre épée et vous ruer en avant	Rendez-vous au **377**

85

Vous êtes à une croisée des chemins.

Pour aller au nord	Rendez-vous au **106**
Pour aller au sud	Rendez-vous au **373**
Pour aller à l'est	Rendez-vous au **318**
Pour aller à l'ouest	Rendez-vous au **59**

86

D'énormes mâchoires s'ouvrent devant vous en un long bâillement. D'après leur taille le CROCODILE à qui elles appartiennent et vers lequel vous nagez doit mesurer au moins trois mètres de long. L'animal fouette de sa queue la surface de l'eau et glisse vers vous. Vous devez lancer deux assauts contre lui.

CROCODILE HABILETÉ : 7 ENDURANCE : 6

Votre combat attire vers vous une sorte de « turbulence » que vous aviez remarquée précédemment et qui maintenant se déplace dans votre direction. Vous observez ce remous du coin de l'œil et il vous faut prendre une décision. Si vous estimez que le Crocodile est à votre merci, vous pouvez poursuivre le combat. Si vous gagnez, rendez-vous au **259.** Sinon, vous pouvez essayer d'occuper votre adversaire en ayant le faible espoir que le mystérieux visiteur qui s'approche vous aidera d'une quelconque manière. Dans ce cas, lancez un nouvel assaut, et rendez-vous au **350.**

87

Vous êtes de retour à la bifurcation et, cette fois, vous allez au nord. Rendez-vous au **262.**

88

Vous entrez dans une autre petite pièce vide au milieu de laquelle se trouve une fontaine. Elle n'a rien de particulièrement remarquable, il s'agit d'un poisson sculpté qui laisse échapper de sa bouche un mince jet d'eau. Une pancarte en bois est accrochée au poisson et un message y est inscrit. Il est écrit dans la langue des Lutins, une langue que vous ne connaissez pas très bien. Vous ne pouvez pas comprendre le premier mot, mais les deux autres signifient « ...non potable ». Vous avez très soif cependant. Allez-vous quand même boire à cette fontaine ? Si oui, rendez-vous au **216.** Sinon, vous passez votre chemin et vous quittez la pièce par une porte qui s'ouvre dans le mur nord (rendez-vous au **384**).

89

Vous vous glissez dans l'ouverture et vous arrivez en haut d'un escalier dont vous descendez prudemment les marches... Rendez-vous au **286.**

90

La porte s'ouvre sur un passage étroit que vous suivez en direction du nord. Quelques mètres plus loin, le passage tourne vers l'est, puis vers le nord à nouveau. À hauteur de ce deuxième virage, il y a une petite niche creusée dans le roc. Elle semble constituer une excellente cachette, et il y a même une grosse pierre sur laquelle on peut s'asseoir confortablement. Vous avez le droit de vous arrêter ici et de manger quelques-unes de vos Provisions si vous le souhaitez. Après vous être reposé, vous continuerez vers le nord. Rendez-vous au **253**.

91

Si vous êtes chanceux, votre tricherie restera ignorée. *Tentez votre Chance.* Si vous avez de la chance, vous partez avec vos gains. Lancez deux dés pour voir combien de Pièces d'Or vous avez gagnées. Notez-les sur votre *Feuille d'Aventure* et rendez-vous au **131**.
Si vous n'avez pas de chance, les quatre Nains ont vu que vous distribuiez les cartes en les prenant sous le jeu. Ils saisissent alors leurs haches derrière eux et vous attaquent. Rendez-vous au **20**.

92

Vous êtes de retour au croisement. Vous regardez sur votre gauche vers l'entrée de la caverne qui vous apparaît au lointain dans l'obscurité, mais vous marchez droit devant vous et vous allez au **71**.

93

Vous revenez au croisement et, cette fois, vous prenez vers le nord. Rendez-vous au **8**.

94

Vous marchez le long d'un couloir qui mène droit au sud, puis qui tourne à l'ouest. Quelques mètres plus loin, il aboutit au croisement de trois chemins. Vous pouvez essayer de découvrir un passage secret le long du couloir (rendez-vous au **260**), ou aller droit au croisement (rendez-vous au **329**).

95

Ces armes n'ont rien de remarquable, en fait il n'en est pas une seule qui soit plus utile que votre épée. Tandis que vous fouillez les débris, vous entendez des coups sourds en provenance du nord, suivis d'un cri qui vous fait courir un frisson le long de l'échine. Vous vous précipitez vers la porte nord pour voir de quoi il retourne. Rendez-vous au **205**.

96

La porte s'ouvre sur un petit couloir d'une quinzaine de mètres de longueur. Il y a deux portes, une à chaque bout. Vous réalisez maintenant ce qui provoquait ce bruit. Ce sont d'autres Squelettes ! Ils sont quatre, armés d'épées, et ils courent le long du couloir, dans votre direction.
Ils ne semblent pas vous avoir vu, et vous découvrez une anfractuosité dans le mur qui peut vous servir de cachette. Vous décidez de vous y glisser. Rendez-vous au **374**.

97

« Entrez ! » vous ordonne une voix, et vous avancez dans une petite pièce meublée d'une table, d'une chaise, d'étagères, de placards, etc., qui tous ont connu de meilleurs jours. Sur les étagères s'alignent des assiettes, des bols, des tasses et des centaines de vieux livres. Au milieu de tout ce désordre un petit homme âgé, vêtu d'une robe de chambre blanche et crasseuse, se balance d'avant en arrière, confortablement installé dans un rocking-chair. Il fredonne quelque chose d'un air joyeux en vous regardant fixement, et semble tout à fait en paix avec le monde. Au bout d'un moment, il vous dit : « Bonjour. »
Vous avez le choix entre :

Engager la conversation avec lui	Rendez-vous au **334**
Tirer votre épée et passer à l'attaque	Rendez-vous au **247**
Décider de ne pas perdre de temps avec lui et repartir en direction du nord	Rendez-vous au **292**

98

Tandis que vous vous glissez dans la pièce en rampant, une voix vous lance : « Bienvenu, aventurier ! Je vous attendais. » Vous vous arrêtez, regardez autour de vous et vous relevez. Le petit homme âgé a changé. Il n'est plus si vieux, ses cheveux ne sont plus si gris et il est à présent d'une taille imposante. Il a un regard noir et profond qui vous fixe impitoyablement. Rendez-vous au **358**.

97 *... un petit homme âgé,... se balance d'avant en arrière, confortablement installé dans un rocking-chair.*

99

Le couloir vous mène vers l'est. À quelque distance devant vous, vous apercevez une porte solide qui bloque le passage. Vous allez l'examiner. Rendez-vous au **383**.

100

Avec réticence, ils acceptent que vous veniez vous joindre à eux. À mesure que vous bavardez et jouez, ils se détendent, et finalement vous êtes tous en train de rire et de vous raconter des histoires drôles.

Ils semblent tout à fait inoffensifs. Vous pouvez jouer honnêtement ou essayer de tricher. Si vous voulez jouer pour de bon, rendez-vous au **346**. Si vous préférez tricher, rendez-vous au **91**.

101

Par chance l'épieu que vous avez lancé atteint au cœur le Vampire qui pousse un cri de douleur. Vous bondissez sur lui et enfoncez plus profondément l'épieu dans son corps. Ses cris d'agonie se font de plus en plus faibles et son corps sans vie s'effondre sur le sol. Rendez-vous au **327**.

102

La porte n'est pas verrouillée et s'ouvre. La pièce que vous voyez maintenant semble être une petite salle de torture : divers instruments destinés à infliger des supplices sont en effet accrochés aux murs. Au centre de la pièce, deux petites créatures bossues exercent leur diabolique besogne sur la personne d'un Nain attaché par les poignets à un crochet fixé au plafond. Les deux bossus le percent et le découpent cruellement avec leurs épées. Le Nain pousse un dernier cri, puis se tait, les yeux fermés. Ses geôliers émettent quelques exclamations exprimant leur dépit et se tournent vers vous en vous regardant avec colère comme si vous étiez responsable de l'évanouissement du Nain. Vous devez agir rapidement. Vous avez le choix entre :

Refermer aussitôt la porte et poursuivre votre chemin le long du couloir	Rendez-vous au **303**
Tirer votre épée et essayer de combattre les deux créatures	Rendez-vous au **19**
Vous précipiter vers le Nain et lui donner un coup d'épée en lançant un grand rire sardonique pour donner le change aux tortionnaires	Rendez-vous au **68**

103

Vous sentez une pierre bouger, et derrière, vous trouvez un levier. Allez-vous tirer le levier ou le laisser et retourner au croisement ? Si vous tirez le levier, rendez-vous au **252**. Si vous retournez au croisement, rendez-vous au **359**.

104

Vous vous retrouvez dans un petit passage étroit qui aboutit à une porte située au nord. Vous essayez d'ouvrir cette porte. Rendez-vous au **49**.

105

Vous fouillez dans votre sac à dos. Qu'y a-t-il à

l'intérieur ? Vous pouvez essayer d'utiliser un quelconque des accessoires suivants si vous l'avez sur votre Liste d'Equipement :

Potion d'Invisibilité	Rendez-vous au **39**
L'Œil du Cyclope	Rendez-vous au **382**
Un morceau de Fromage	Rendez-vous au **368**
L'Arc à la Flèche d'Argent	Rendez-vous au **194**
Un Bâton en forme de Y	Rendez-vous au **215**

106

Le passage devant vous mène vers le nord sur une bonne distance. Vous pouvez vous reposer dans ce couloir et manger vos Provisions. Par la suite, le passage tourne à l'ouest et se rétrécit considérablement. Vous arrivez à une voûte de pierres qui vous oblige à vous baisser pour la franchir. De l'autre côté de la voûte, vous vous arrêtez un moment et vous regardez autour de vous. Vous êtes dans une grande caverne qui s'enfonce dans l'obscurité. La caverne est partiellement éclairée par la lumière du jour qui s'infiltre par une ouverture au-dessus de vous. Il vous est impossible de voir où mène la caverne.
Vous allumez votre lanterne pour explorer l'endroit et vous entendez alors un grondement. Une faible lueur vacille dans les ténèbres. Et soudain, un jet de feu jaillit des profondeurs de la caverne en vous manquant de peu, et en brûlant la mousse dont le mur est couvert par endroits ! Vous vous jetez à plat ventre sur le sol et vous levez les yeux : un énorme DRAGON émerge de l'obscurité et avance dans votre direction. Des volutes de fumée lui sortent des narines. Sa peau d'écailles rougeâtres brille d'une lueur hui-

106 *Sa peau d'écailles rougeâtres brille d'une lueur huileuse.*

leuse. Le monstre est long d'une quinzaine de mètres ! Comment allez-vous faire pour vous lancer à l'assaut de cette créature ?

Vous tirez votre épée en vous préparant à l'attaque ? Rendez-vous au **152**
Vous fouillez dans votre mémoire pour essayer de trouver un autre moyen de le combattre ? Rendez-vous au **126**

107

Vous traversez la pièce sur la pointe des pieds et vous montez un escalier étroit qui aboutit à un couloir. « C'était facile », pensez-vous, et, à la réflexion, vous vous demandez si vous n'auriez pas mieux fait de fouiller les corps. Cela en valait peut-être la peine. Si vous voulez revenir en arrière et fouiller les corps, en commençant par le troisième, rendez-vous au **148**. Si vous préférez poursuivre votre chemin, rendez-vous au **197**.

108

Au moment où votre pied touche une dalle en forme de main, vous sentez qu'on vous serre la cheville comme dans un étau. Vous regardez à vos pieds, et vous apercevez une main fantomatique qui s'accroche à vous. Vous essayez de retrouver votre équilibre et vous y parvenez. Mais à votre grande terreur, vous réalisez soudain que de chaque dalle en forme de main s'élève une autre main semblable, et le sol est ainsi jonché de mains décharnées qui se tendent et essayent d'attraper quelque chose. Vous tirez votre épée et vous tentez d'en frapper la main. Menez ce combat à son terme :

MAIN	HABILETÉ : 6	ENDURANCE : 4

Si vous êtes vainqueur, rendez-vous au **185**.

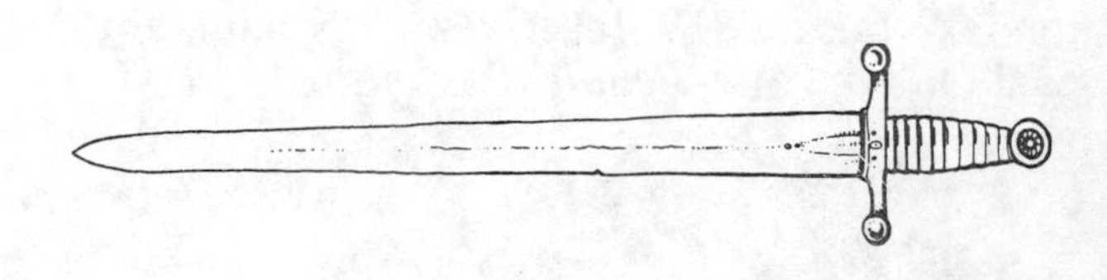

109

Le liquide est doux et onctueux. À mesure que vous en buvez, vous vous mettez à rayonner. Vous vous sentez à la fois euphorique et légèrement ivre. Votre confiance en vous-même s'accroît et votre fatigue disparaît.

La bouteille contient de l'EAU SAINTE, bénie par le Grand Prêtre de Kaynlesh-Ma. Elle vous a presque rendu toute votre ENDURANCE. Augmentez-en le total jusqu'à un chiffre inférieur de 2 points à votre ENDURANCE de départ. (Si votre ENDURANCE était plus élevée encore, n'y changez rien, vous êtes suffisamment fort comme cela !) Ajoutez des points à votre total actuel d'HABILETÉ jusqu'à obtenir un chiffre inférieur d'1 point à votre HABILETÉ de départ. Vous avez également droit à quatre points de CHANCE supplémentaires pour avoir fait une aussi heureuse trouvaille.

Si vous avez déjà regardé le parchemin, vous pouvez quitter la pièce en direction du nord (rendez-vous au **120**). Sinon, vous pouvez y jeter un coup d'œil (et vous rendre au **212**), ou n'y prêter aucune attention et aller vers le nord de toute façon.

110

Vous êtes maintenant plus riche de 8 Pièces d'Or. Vous trouvez également 2 autres Pièces d'Or qu'il a cachées dans sa botte pour plus de sûreté. Rendez-vous au **319**. Inscrivez votre gain en Pièces d'Or sur votre *Feuille d'Aventure.*

111

Il ne se laissera pas amadouer. Tandis que vous faites quelques pas autour de la pièce, d'une démarche embarrassée, il crie quelque chose au chien. Rendez-vous au **249**.

112

Vous ne voyez rien dans la pièce qui puisse vous aider dans votre combat. Qu'allez-vous faire ?

Tirer votre épée, serrer les dents et partir à l'attaque ?	Rendez-vous au **142**
Chercher dans votre sac à dos une autre arme que vous pourriez utiliser ?	Rendez-vous au **105**

113

Vous arrivez à une autre bifurcation. Vous avez le choix entre aller au nord (rendez-vous au **285**) ou poursuivre vers l'est (rendez-vous au **78**).

114

Le passage mène vers le sud, puis vers l'est, et vous vous retrouvez finalement à un croisement. Rendez-vous au **359**.

115

Les malheureux étendus à vos pieds semblent presque heureux d'avoir été soulagés du fardeau de la vie. Et tandis que vous les contemplez, vous avez le sentiment que vous n'êtes pas seul à savoir qu'ils sont morts. Vous jetez un coup d'œil autour de la pièce et vous avez le choix entre :

Examiner les armes posées à terre	Rendez-vous au **95**
Vous approcher du cadavre étendu dans le coin nord-est	Rendez-vous au **313**
Aller voir ce qu'il y a dans les tonneaux	Rendez-vous au **330**

116

Les deux FARFADETS ivres qui se trouvent face à vous sont de toute évidence surpris en vous voyant entrer, et ils cherchent maladroitement leurs armes en s'efforçant de s'en saisir aussi vite que possible. Vous devez les attaquer un par un. Lorsque vous lancerez les dés pour déterminer votre Force d'Attaque, vous pourrez ajouter 1 point au total obtenu, en raison de leur ivresse, et cela, à chaque assaut.

	HABILETÉ	ENDURANCE
Premier FARFADET	5	4
Deuxième FARFADET	5	5

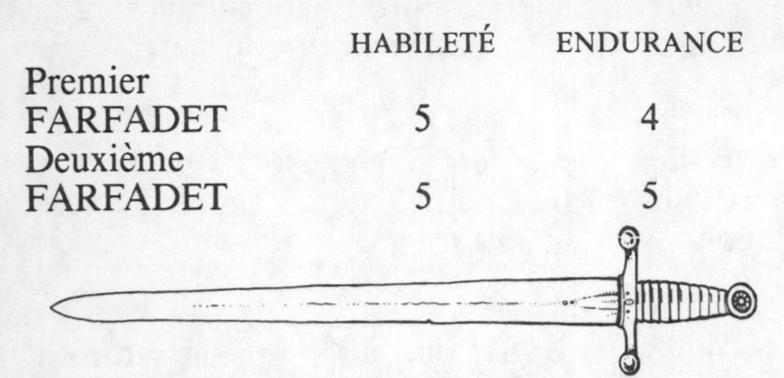

Si vous sortez vainqueur du combat, rendez-vous au **378.** Si vous voulez prendre la *fuite* pendant la bataille, vous pouvez le faire en vous rendant au **42**.

117

Vous êtes dans un passage est-ouest. Pour aller à l'est, rendez-vous au **354**. Si vous préférez l'ouest, rendez-vous au **308**.

118

Lorsque vous vous approchez de lui, il se dresse dans son cercueil, déploie sa cape et vous en enveloppe. Votre dernier souvenir, c'est la douleur fulgurante que vous ressentez au moment où ses dents pointues s'enfoncent dans votre cou. Vous n'auriez jamais dû vous laisser prendre par le regard d'un VAMPIRE.

119

Vous ouvrez votre sac à dos et vous y cherchez quelque chose que vous pourriez lancer dans la caverne. Consultez votre Liste d'Équipement, choisissez-y ce que vous lancerez et rayez l'objet de cette Liste. Si vous n'avez pas d'Équipement, il vous faudra lancer une Pièce d'Or. Vous jetez l'objet qui tombe sur le sol de la caverne avec un bruit sonore. L'Ogre regarde dans la direction d'où est venu le bruit et va voir ce qui se passe. Pendant ce temps, vous sortez en rampant et vous retournez à la bifurcation en suivant le couloir en sens inverse. Rendez-vous au **269**.

120

Vous quittez la pièce, suivez un court passage et arrivez à un escalier qui monte. Vous en gravissez les marches, et vous vous retrouvez bientôt dans un couloir. Rendez-vous au **197.**

121

Le couloir est orienté vers l'est pendant quelques mètres, puis il tourne au sud, revient ensuite vers l'est et se termine enfin par un cul-de-sac. Allez-vous examiner ce cul-de-sac (rendez-vous alors au **103**), ou préférez-vous retourner au croisement (et vous rendre alors au **359**) ?

122

Vous vous réveillez avec des élancements dans la tête et vous jetez un regard autour de vous. La pièce fait environ huit mètres carrés et des portes s'ouvrent au nord et au sud. On vous a jeté dans le coin sud-ouest. Quatre hommes se tiennent

debout, immobiles, au centre de la pièce. *Il semble* tout au moins que ce sont des hommes. Leur peau a une teinte gris-verdâtre. Leurs vêtements sont en lambeaux et tous les quatre fixent le plafond d'un regard vide. L'un tient une massue, un autre une faux, le troisième une hache et le dernier une pioche. Ils vous ignorent complètement.
Autour de la pièce, il y a des outils de paysans (fourches, manches de haches, bâtons en pointe, etc.) qui peuvent servir d'armes, ainsi que deux boucliers et plusieurs tonneaux. Dans le coin nord-est, un cadavre tient une épée dans une main et un bouclier dans l'autre. Vous vous passez la main sur le visage pour voir si vous ne saignez pas ; à votre grand soulagement, vous ne découvrez aucune trace de sang. Mais lorsque vos mains ont bougé, les étranges créatures au centre de la pièce ont baissé les yeux vers vous. Que faites-vous ?

Vous essayez de leur parler ? Rendez-vous au **268**
Vous vous relevez d'un bond et vous les attaquez avec votre épée ? Rendez-vous au **282**
Vous tentez tant bien que mal de vous enfuir par la porte sud ? Rendez-vous au **13**

123

Vont-ils croire votre histoire d'achat de bateau ? Les Squelettes sont plutôt simples d'esprit, aussi, lancez donc un dé. Si vous faites 1, 2 ou 3, ils vous croient et ils quittent tous le hangar par la

122 *Leurs vêtements sont en lambeaux, et tous les quatre fixent le plafond d'un regard vide.*

porte aménagée dans le mur nord, vous laissant ainsi seul avec les bateaux. Prenez 2 points de CHANCE et rendez-vous au **184.**

Si vous faites 4 ou 5, ils ne savent que penser et envoient deux des leurs prendre les ordres tandis que les trois autres vous surveillent avec leurs armes de fortune. Rendez-vous au **164**.

Si vous faites un 6, ils ne croient pas un mot de ce que vous dites, et continuent d'avancer sur vous. Rendez-vous au **140**.

124

La porte s'ouvre sur un large couloir que vous suivez sur une certaine distance jusqu'à ce que vous arriviez à une bifurcation. Là, vous pouvez aller au nord (rendez-vous au **138**), ou à l'est (rendez-vous au **76**).

125

Vous ramassez la corde. Elle semble normale. Elle a même l'air de pouvoir vous être très utile à l'occasion. Vous ouvrez votre sac à dos pour l'y ranger, mais soudain, elle prend vie dans vos mains, remonte rapidement le long de votre bras et tente de s'enrouler autour de votre cou. Vous vous efforcez de couper la corde avec votre épée avant que son étreinte ne se resserre. *Tentez votre Chance.* Si vous êtes chanceux, vous arrivez à couper la corde et elle tombe sur le sol. Mais si vous êtes malchanceux, la corde se resserre et vous perdez un point d'ENDURANCE. Il vous faut à nouveau *Tenter votre Chance* pour essayer de couper la corde, et vous aurez ainsi à la tenter jusqu'à ce que vous y parveniez. À chaque échec, vous perdez 1 point d'ENDURANCE (et vous n'oubliez pas de réduire votre total de CHANCE). Si vous arrivez finalement à vaincre la corde, vous pouvez poursuivre votre chemin en empruntant la porte nord. Rendez-vous alors au **73**.

126

Le nom de « Farrigo Di Maggio » vous dit-il quelque chose ? Si tel n'est pas le cas, il vous faut combattre le Dragon. Rendez-vous au **152**. Si au contraire vous connaissez ce nom, rendez-vous au **26**.

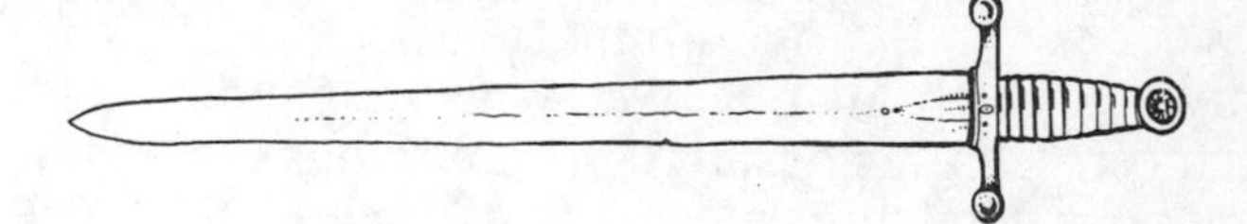

127

Vos menaces ne l'impressionnent pas le moins du monde. Tandis que vous continuez à discuter et que sa colère grandit, vous remarquez une transformation dans son apparence. Il se redresse et paraît soudain plus fort. Son visage et ses bras se couvrent de poils. Ses dents deviennent pointues et acérées. Il vous faut prendre une décision rapide. Allez-vous lui offrir 5 Pièces d'Or pour le calmer (déduisez cette somme de votre Or et rendez-vous au **272**), ou vous préparer à l'attaquer (rendez-vous au **188**) ?

128

Vous entendez un grondement et le sol se met à vibrer. La herse s'élève lentement et avec bruit, disparaissant dans le plafond. Vous pouvez maintenant aller jusqu'à la bifurcation. Choisirez-vous de poursuivre vers l'ouest (rendez-vous au **210**), ou vers l'est (rendez-vous au **58**) ?

129

Vous revenez au bord de la rivière et vous décidez d'essayer la porte aménagée au milieu du pan de roc. Rendez-vous au **104**.

130

Le vieil homme vous demande combien vous misez. Vous pouvez parier entre 1 et 20 Pièces d'Or (mais en tout cas pas plus que vous n'en possédez !). Il vous donne les deux dés blancs avec lesquels il jouait, et vous demande de les lancer. Jetez les dés une fois pour vous et une fois pour le vieil homme. Si vous obtenez un total plus élevé que le sien, vous gagnez une somme égale à celle que vous avez pariée, et que le vieil homme doit vous payer. Si c'est son total qui est plus élevé, vous perdez votre mise. Vous pouvez continuer aussi longtemps que vous aurez des Pièces d'Or et partir ensuite par la porte pour revenir à la bifurcation. Si vous gagnez, prenez 2 points d'HABILETÉ, 2 d'ENDURANCE et 2 de CHANCE. Rendez-vous après au **280**.

131

Vous bavardez de choses et d'autres, et ils semblent avoir très envie d'avoir avec vous des relations amicales. Ils se sentent seuls dans cette montagne, entourés de tant d'êtres malfaisants, et ils sont heureux de parler à des visiteurs qui viennent d'un monde où l'on respecte les lois. Ils vous expliquent que vous vous trouvez dans le Labyrinthe de Zagor. Le seul moyen d'en trouver l'issue c'est d'aller encore plus loin à l'intérieur des souterrains. Ils vous indiquent le chemin pour sortir du labyrinthe : après avoir quitté cette pièce, vous tournerez à droite, à droite encore, puis à gauche, ensuite vous irez tout droit... À ce moment, ils sont moins précis. Il ne sont pas tout à fait sûrs du chemin qu'il convient de suivre.

Si vous le désirez, vous pouvez vous restaurer en prenant un Repas, mais vous devrez le partager avec eux et, de ce fait, vous n'aurez droit qu'à la moitié des points d'ENDURANCE habituels. Enfin, vous les remerciez et vous sortez de la pièce. Rendez-vous au **291**.

132

Le bouclier est en bois et d'un modèle courant. Vous pouvez le garder ou le jeter. Rendez-vous au **319**.

133

Vous êtes dans un couloir nord-sud qui se termine en cul-de-sac. Vous jetez un regard autour de vous pour essayer de déceler sur la paroi rocheuse un quelconque signe qui pourrait révéler quelque chose d'intéressant, lorsque une pierre se détache soudain de la voûte au-dessus de vous et vous tombe sur la tête. Bien que le choc n'ait pas été trop rude, vous vous sentez légèrement étourdi.

Vous luttez pour garder votre conscience, mais vous n'y parvenez pas et vous vous effondrez sur le sol. Quand vous ouvrez à nouveau les yeux, vous vous trouvez à un croisement. Rendez-vous au **52**.

134

Il n'y a personne dans la pièce, et il ne semble pas qu'il y ait d'autre issue. Au milieu, se trouve une table sur laquelle sont posés deux casques, l'un en bronze, l'autre en fer. Tous les deux sont à peu près à votre taille. Allez-vous essayer de vous coiffer d'un de ces casques, ou estimez-vous que c'est prendre là un risque inutile ?

Si vous essayez le casque de bronze — Rendez-vous au **202**
Si vous essayez celui de fer — Rendez-vous au **325**
Si vous décidez de revenir à la bifurcation — Rendez-vous au **87**

135

L'Être gît recroquevillé dans un coin de la pièce. Vous allez à son bureau et vous ouvrez la boîte. Il y a 18 Pièces d'Or à l'intérieur. Vous pouvez les prendre ; n'oubliez pas de les inscrire sur votre *Feuille d'Aventure.* Vous avez droit à 2 points de CHANCE pour avoir vaincu la créature, et vous pouvez également vous restaurer en prenant un Repas. Quand vous êtes prêt à repartir, vous quittez la pièce par la porte nord. Rendez-vous au **360**.

136

Vous arrivez à la porte que vous parvenez à ouvrir après vous être battu avec la serrure. Vous sortez précipitamment de la pièce en refermant la porte derrière vous, vous respirez profondément à plusieurs reprises et vous revenez à la bifurcation. Rendez-vous au **229**.

134 *Sur la table sont posés deux casques, l'un en bronze, l'autre en fer.*

137

Vous ne trouvez pas de passage secret, mais en appuyant sur le mur, vous entendez un déclic. Vous avez alors un étourdissement, et vous vous effondrez sur le sol. Quand vous reprenez conscience, vous ne reconnaissez pas l'endroit où vous êtes. Rendez-vous au **354**.

138

Le passage s'élargit et vous vous apercevez que vous allez bientôt arriver dans une grande caverne. Vous entendez des bruits en provenance de cette caverne, à quelque distance devant vous et vous avancez avec prudence. En vous approchant, vous distinguez au loin une immense silhouette et vous êtes passablement impressionné lorsque vous réalisez que cet homme gigantesque doit mesurer au moins trois mètres de haut ! Vêtu d'une tunique de cuir, le monstre, assis à une table, est occupé à manger.
La caverne fait au moins cent mètres de long, et c'est là sans doute la demeure de ce GÉANT. Il y a une grande table et deux chaises contre l'un des murs. C'est à cette table que la créature est assise. Le Géant est trop absorbé dans la consommation de son repas (un énorme cochon) pour remarquer votre présence. Dans la caverne, il y a également une paillasse, une grande fourrure qui lui sert sans doute de couverture ou de cape, et un immense marteau de pierre que vous ne pourriez même pas espérer remuer. Dans un coin brûle un feu dont la fumée s'échappe par une ouverture pratiquée dans le plafond. Il semble qu'il n'y ait pas d'autre issue dans la caverne que le passage par lequel vous arrivez. Allez-vous affronter cette

brute (et vous rendre au **163**), ou revenir à la bifurcation (rendez-vous alors au **351**) ?

139

Au cours de votre aventure, vous avez trouvé différentes clés et vous avez dû conserver certaines d'entre elles. Vous avez à présent la possibilité d'utiliser trois de ces clés pour essayer d'ouvrir les serrures du coffre.

Chaque clé porte un numéro distinct. Pour savoir si vous avez les bonnes clés, faites la somme des trois chiffres qu'elles portent. Rendez-vous ensuite au numéro que vous donne le total obtenu, et vous verrez alors si vous avez choisi les clés qui vous ouvriront le coffre.

Si vous n'avez pas trois clés numérotées, voici venue la fin de votre aventure. Vous n'avez plus qu'à vous asseoir sur le coffre et à pleurer, car vous venez de comprendre qu'il va falloir recommencer à explorer la montagne depuis le début pour trouver les clés qui vous manquent.

140

Les Squelettes avancent sur vous et vous acculent contre la porte. Le chef s'approche. Derrière lui marchent côte à côte deux Squelettes ; les deux derniers suivent derrière. Il faut d'abord combattre le chef :

SQUELETTE HABILETÉ : 7 ENDURANCE : 5

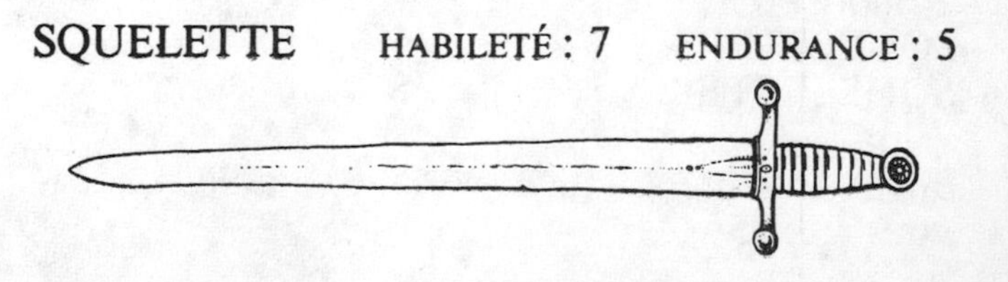

Ensuite, vous aurez à vous battre contre les autres en les affrontant deux par deux. Voici comment se dérouleront ces combats : vous aurez deux paires de Squelettes à affronter, mais chacun des deux Squelettes, formant une paire, vous attaquera séparément à chaque assaut. Vous devrez choisir lequel vous voulez combattre en priorité. Vous mènerez alors le premier assaut contre le Squelette que vous venez de choisir. Ensuite, le deuxième Squelette vous attaquera ; vous lancerez les dés pour mesurer votre Force d'Attaque à la manière habituelle, mais si votre Force d'Attaque est supérieure à la sienne, vous n'aurez pas pour autant blessé ce Squelette, vous aurez simplement évité le coup porté par lui. En revanche, si sa Force d'Attaque est supérieure à la vôtre, vous serez blessé selon les règles habituelles. Chaque assaut se déroule ainsi en deux temps, et vous aurez gagné le combat lorsque le Squelette que vous avez choisi d'affronter en premier sera vaincu. Vous n'aurez donc qu'un seul Squelette à tuer à chaque combat par paire, mais ils seront deux à pouvoir vous blesser.

	HABILETÉ	ENDURANCE
1re Paire :		
SQUELETTE A	6	5
SQUELETTE B	6	6
2e Paire :		
SQUELETTE A	5	6
SQUELETTE B	5	5

Si vous sortez vainqueur de cette bataille, rendez-vous au **395**.

141

Lorsque le vieil homme apprend que vous cherchez le trésor, il se met en colère et vous ordonne de vous en aller : il n'a que faire des aventuriers chercheurs de trésors. Son chien a senti sa colère et vous montre les dents d'un air menaçant. Vous pouvez soit sourire au vieil homme, le remercier et sortir par la porte sud (rendez-vous alors au **66**), soit rester et essayer de l'amadouer (rendez-vous dans ce cas au **111**).

142

D'une voix tonitruante, il lance : « Pauvre imbécile ! Crois-tu que tu peux te mesurer à mon pouvoir en utilisant cette arme dérisoire ? » Vous continuez cependant d'avancer avec détermination. « Si c'est une simple rossée que tu cherches, étranger, je te donnerai la dernière de ta vie ! » ajoute-t-il, puis il disparaît et reparaît derrière vous. Vous faites volte-face pour l'affronter, et le combat s'engage. Mais c'est une lutte à mort. Cette fois, il vous sera impossible de prendre la fuite.

SORCIER HABILETÉ : 11 ENDURANCE : 18

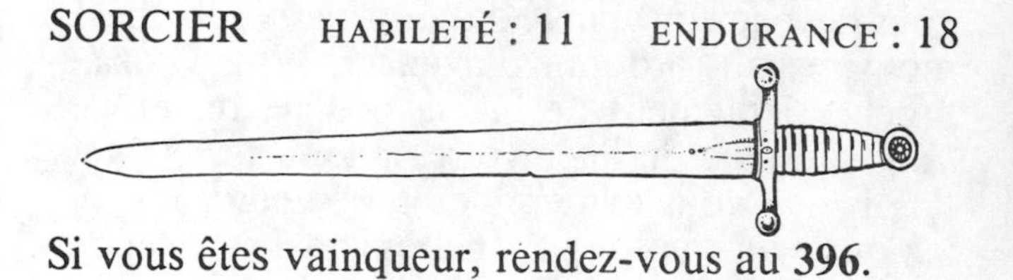

Si vous êtes vainqueur, rendez-vous au **396**.

143

Vous vous accroupissez sur le sable de la rive. Tandis que vous préparez votre repas, vous remarquez que le sable bouge à deux mètres de vous environ. Le sable s'agite de plus en plus et vous vous levez d'un bond, votre épée à la main. Soudain, une énorme tête cylindrique jaillit de la surface sablonneuse, puis se met à se tortiller et flaire votre odeur. Le corps lisse et annelé d'un VER MARIN GÉANT s'élève alors, et oscille dans votre direction. En même temps, une ouverture béante hérissée de petites dents pointues apparaît dans ce qui lui tient lieu de tête. Il vous faut combattre cette créature.

VER MARIN GÉANT HABILETÉ : 7 ENDURANCE : 7

Si vous êtes vainqueur, rendez-vous au **44**. Si vous préférez prendre la *fuite*, vous ne pourrez le faire qu'après avoir mené trois assauts contre la bête, et vous plongerez alors dans la rivière ; vous nagerez en suivant le courant (rendez-vous au **399**), mais, dans votre fuite, vous aurez perdu les Provisions que vous aviez commencé à manger.

144

La créature plonge son regard dans le vôtre et vous devenez incapable de contrôler vos actes. Le monstre vous ordonne d'avancer. Vous vous approchez lentement de lui, la bouche ouverte. Il vous ordonne de jeter votre épieu à terre. Mais, tandis que vous contemplez cet épieu, vous sentez que votre volonté vous revient brusquement et vous lancez votre arme sur le Vampire alors que vous êtes tout près de lui.
Tentez votre Chance. Si vous êtes chanceux, rendez-vous au **101**. Si vous êtes malchanceux, rendez-vous au **217**

143 *Soudain, une énorme tête cylindrique jaillit de la surface sablonneuse...*

145

La boîte est tombée sur le sol pendant que vous combattiez le Serpent, et une clé couleur de bronze en est sortie ; le chiffre *99* est gravé dessus. Vous pouvez prendre cette clé (et l'inscrire sur votre Liste d'Équipement), puis quitter la pièce. Ajoutez-vous un point de CHANCE et rendez-vous au **363**.

146

Vous ne trouvez aucun passage secret. Vous retournez au croisement et vous continuez vers le nord (rendez-vous au **366**), ou vers l'ouest (rendez-vous au **11**).

147

Vous quittez la pièce et vous ouvrez la boîte dans le couloir. À l'intérieur, vous trouvez une Pièce d'Or et une petite souris qui était sans doute l'animal familier de la créature. Vous gardez la Pièce, et vous relâchez la souris qui s'enfuit à toute allure le long du couloir. Prenez 2 points de CHANCE et rendez-vous au **208**.

148

Tandis que vous fouillez le corps, vous essayez d'éviter de regarder son visage terrifiant, aux chairs grises et décomposées. Des vers lui sortent du nez et de la bouche. Soudain, vous faites un bond en arrière lorsque vous vous apercevez avec stupéfaction que ses paupières s'agitent et s'ouvrent. Vous évitez juste à temps de vous faire cruellement griffer par un coup de ses ongles longs et pointus. Il bondit sur ses pieds et vous dévisage, un sourire sadique au coin des lèvres. Rendez-vous au **230**.

149

Tandis que vous contemplez cette peinture murale vivante, vous ne vous rendez pas compte que votre chandelle brûle rapidement. Soudain, sa flamme vacille et s'éteint ! Vous entendez à nouveau les cris perçants et ils deviennent si aigus qu'ils en sont bientôt insupportables. Vous vous laissez tomber à genoux, les mains plaquées contre vos oreilles, et vous rampez vers le mur. Dans quelle direction allez-vous ramper ?

Vers le mur est ?	Rendez-vous au **181**
Vers le mur nord ?	Rendez-vous au **265**
Vers le mur ouest ?	Rendez-vous au **355**

150

Vous êtes à la croisée de trois chemins.

Pour aller au nord	Rendez-vous au **222**
Pour aller à l'est	Rendez-vous au **297**
Pour aller au sud	Rendez-vous au **133**

151

Vous gagnez du terrain sur la « turbulence » qui agite l'eau, mais à quelques mètres de la rive nord, vous apercevez les yeux d'un sinistre reptile qui vous observe à la surface de la rivière. Or, vous nagez droit vers lui. Si vous jugez préférable de ne pas avoir affaire au propriétaire des yeux en question, vous pouvez faire volte-face et nager le plus vite possible vers la rive sud. Vous arrivez épuisé, vous perdez 1 point d'ENDURANCE et vous allez au **218**. Sinon, vous pouvez prendre le risque d'affronter les yeux et vous rendre alors au **86**. Enfin, vous pouvez choisir de faire un détour qui vous rapprochera de la « turbulence », et vous rendre dans ce cas au **158**.

152

Menez le combat :

DRAGON HABILETÉ : 10 ENDURANCE : 12

Si vous gagnez, rendez-vous au **371**.

153

Vous passez les deux épées dans votre ceinture, mais la nouvelle semble avoir son caractère bien à elle. Elle commence par vous faire une coupure à la jambe (vous perdez 1 point d'ENDURANCE) et lorsque vous la retirez de votre ceinture, elle devient caoutchouteuse. Elle est tout à fait inutile à présent, et vous la jetez à la rivière. Il semble que le seul chemin à suivre soit désormais de descendre la rivière en nageant vers l'est. Vous plongez donc et vous vous mettez à nager. Rendez-vous au **399**.

154

Lorsque vous bougez, les yeux de la créature s'ouvrent aussitôt. Elle vous voit et se met lentement debout. Son souffle se fait plus lourd et elle marche vers vous. Il va falloir la combattre. Rendez-vous au **41**.

155

La porte se fend en deux ; vous parvenez à casser le panneau et à entrer. Une torche est fixée à l'un des murs et éclaire une petite salle d'armes remplie d'épées, de boucliers, de casques, de poignards, de cuirasses et autres objets de même nature. Vous fouillez ce dépôt d'armes mais sans rien trouver qui soit plus utile que votre épée. Pourtant, votre regard est attiré par un bouclier

155 *Une torche est fixée à l'un des murs, et éclaire une petite salle d'armes...*

rond, en fer, au centre duquel est gravé un croissant. Si vous désirez prendre ce bouclier, il vous aidera à détourner les coups que vous porteront les créatures ennemies. Désormais, si une créature vous inflige une blessure lors d'un combat pendant lequel vous utiliserez ce bouclier, vous pourrez lancer un dé. Si vous faites un 6, la créature ne vous aura atteint que pour la valeur d'1 point, au lieu de 2 en temps normal. Si, pour une raison quelconque, une créature ne vous infligeait qu'une blessure à un point, un 6 obtenu au dé signifierait que le coup n'a pas porté du tout. Mais ce bouclier est lourd, et pour pouvoir l'emporter, il vous faudra abandonner une pièce de votre équipement (rectifiez alors votre Liste d'Équipement).
Vous quittez à présent la pièce et vous suivez le couloir. Rendez-vous au **300**.

156

Vous essayez d'enfoncer la porte à coups d'épaule. Jetez deux dés. Si le chiffre obtenu est égal ou inférieur au total de vos points d'HABILETÉ, vous avez réussi et vous allez au **343**. Si le chiffre obtenu est supérieur à vos points d'HABILETÉ, vous frottez votre épaule endolorie et vous décidez de ne pas faire de seconde tentative. Retournez à la bifurcation en vous rendant au **92**.

157

La porte s'ouvre sur un passage est-ouest qui s'oriente au nord au bout de quelques mètres. Si vous voulez suivre cette direction, rendez-vous au **4**. Si vous préférez ne pas franchir la porte, rendez-vous au **329**.

158

La surface de l'eau, autour de vous, se ride et s'agite comme si une main imaginaire jetait des cailloux invisibles dans la rivière. Votre gorge se serre soudain lorsque vous découvrez qu'il s'agit de... PIRANHAS ! Et vous sentez déjà leurs dents pointues s'enfoncer dans votre chair. Vous gesticulez, vous leur donnez des coups de pied, vous vous défendez avec toutes les armes dont vous disposez en essayant de les tenir à distance assez longtemps pour pouvoir rejoindre la rive sud. Combattez les Piranhas comme s'il s'agissait d'une seule et même créature.

PIRANHAS HABILETÉ : 5 ENDURANCE : 5

Menez cette bataille à son terme.

Si vous gagnez, vous réussissez à sortir de l'eau et à vous allonger, tout pantelant, sur la rive sud. Vous pouvez alors prendre un repas. Rendez-vous au **218**.

159

Vous ouvrez la porte et vous découvrez une grande pièce qui est la salle à manger de ces mêmes créatures au visage constellé de verrues que vous reconnaissez à présent. Assis autour d'une grande table, cinq FARFADETS sont occupés à avaler goulûment une soupe de gésiers de rats ; ils en bavent de bonheur. En même temps, ils se disputent âprement pour savoir qui aura droit à ronger les os de rats qui restent au fond de la marmite de soupe. Trop absorbés par cette grave question, ils ne vous voient pas entrer. Vous pouvez vous montrer plein de hardiesse et les attaquer (rendez-vous alors au **365**), ou estimer au contraire qu'il n'y a aucun avantage à affronter cinq de ces créatures en même temps ; dans ce cas, vous essayez de prendre la fuite. Si vous souhaitez quitter la pièce, *Tentez votre Chance.* Si vous êtes chanceux, vous arrivez à sortir sans qu'ils vous remarquent (rendez-vous au **237**), et vous n'aurez aucune pénalité de fuite. Si vous êtes malchanceux, ils vous voient. Préparez-vous alors à la bagarre, et rendez-vous au **365**.

160

Vous suivez un long passage étroit qui va vers le sud, puis vers l'est, revient ensuite au sud, et vous mène finalement à une croisée des chemins. Rendez-vous au **267**.

161

Assurez-vous bien que vous avez inscrit la référence comme il vous l'a été indiqué à la page précédente ! Vous reviendrez à ce numéro lorsque vous en aurez fini avec la créature que vous allez affronter.

En cherchant des portes et des passages secrets, vous avez sondé, martelé, raclé la paroi rocheuse, et tous ces bruits ont résonné dans les couloirs de la montagne. Diverses créatures vagabondent librement dans les souterrains, et ce vacarme a attiré l'attention de l'un des monstres suivants.

Lancez un dé. Consultez ensuite la liste ci-dessous pour savoir quelle créature vient vers vous. Combattez-la à la manière habituelle. Les monstres errants n'ont jamais de trésor avec eux. Si vous terrassez la créature, retournez au numéro que vous avez noté.

Chiffre obtenu au dé	Créature	HABILETÉ	ENDURANCE
1	LUTIN	5	3
2	FARFADET	6	3
3	DIABLOTIN	6	4
4	RAT GÉANT	5	4
5	SQUELETTE	6	5
6	TROLL	8	4

162

Le passage est orienté vers le nord et vous le suivez jusqu'à ce que vous arriviez à une nouvelle bifurcation. Là, vous pouvez soit continuer vers le nord (rendez-vous au **23**), soit aller vers l'ouest (rendez-vous au **69**).

163

Vous tirez votre épée et vous entrez dans la caverne. Le Géant s'arrête soudain de mâcher, relève la tête et renifle autour de lui. Il se retourne et vous voit approcher. Avec un rugissement sonore, il lance la carcasse du cochon dans votre direction. *Tentez votre Chance*. Si vous êtes chanceux, il vous rate. Si vous êtes malchanceux, la carcasse vous heurte violemment et vous perdez 1 point d'ENDURANCE. Ensuite, le Géant ramasse son marteau et s'apprête à vous frapper. Menez la bataille à son terme.

GÉANT HABILETÉ : 8 ENDURANCE : 9

Si vous êtes vainqueur, rendez-vous au **28**. Vous

pouvez prendre la fuite, mais au bout du troisième assaut seulement ; vous sortez dans ce cas par le passage où il ne pourra pas vous suivre (rendez-vous au **351**).

164

Vous vous rendez compte que les deux Squelettes qui viennent de quitter le hangar reviendront bientôt et dévoileront votre mensonge. Il vous faut agir vite. Allez-vous rapidement battre en retraite par la porte qui se trouve derrière vous (rendez-vous alors au **129**), ou tirer votre épée et attaquer les squelettes présents dans le hangar (et vous rendre au **236**) ?

165

Le vieil homme vous remercie et lace ses bottes d'un air penaud. Vous lui expliquez que vous ne lui voulez aucun mal et il se calme, rappelant son chien. Il vous révèle que cet endroit est le seul passage qui mène aux salles intérieures. Quelques années auparavant, la rivière était entrée en crue au début du printemps, après une fonte des neiges particulièrement impressionnante et il était alors devenu impossible de s'approvisionner à l'extérieur. Tous les habitants des environs mouraient de faim mais le Maître, se rendant compte qu'il avait besoin de se défendre contre le monde du dehors, jeta un sort sur la région. Les créatures qui échappèrent à la mort gardent désormais le passage.

Il vous pose ensuite des questions pour savoir qui vous êtes et ce que vous cherchez. Qu'allez-vous faire ?

Être franc avec lui et lui révéler l'objet de votre quête ? Rendez-vous au **141**

Le remercier d'avoir bavardé avec vous et partir par la porte sud ? Rendez-vous au **66**

Essayer de vous emparer des clés et aller à la porte la plus proche ? Rendez-vous au **249**

166

Vous tombez dans l'eau glacée et vous nagez frénétiquement pour essayer d'atteindre la rive sud. À votre grand étonnement, le radeau revient de lui-même à la rive sud après avoir fait demi-tour au milieu du cours d'eau. Vous accélérez l'allure, car les remous que vous provoquez en nageant pourraient attirer l'attention d'une quelconque créature habitant la rivière.
Jetez un dé. Si vous faites 1, 2, 3 ou 4, vous parvenez à rejoindre la rive sain et sauf. Rendez-vous alors au **218**. Si vous faites un 5 ou un 6, rendez-vous au **158**.

167

Vous découvrez une porte qui ouvre sur une bifurcation. Au nord, un court passage se termine en impasse, et à l'est un autre couloir mène à un nouveau croisement. Si vous décidez de franchir cette porte secrète, rendez-vous au **187**. Si vous préférez ne pas vous aventurer dans cette direction, refermez la porte et retournez au croisement précédent en revenant sur vos pas. Rendez-vous alors au **359**.

168

Vous ouvrez la porte qui donne dans une vaste pièce. Une haute chaise et une table massive semblent indiquer que quelqu'un ou *quelque chose* d'important occupe cet endroit. Vous apercevez un coffre posé au milieu de la pièce. Dans un coin se tient une créature de la taille d'un homme ; elle a le visage constellé de verrues et domine une autre créature plus petite mais d'apparence semblable. Un fouet à la main, le CHEF DES FARFADETS est en train d'infliger une correction à son serviteur qui gémit sous les coups. Qu'allez-vous faire ?

Les attaquer tous deux ? Rendez-vous au **372**
Bondir sur le Chef en espérant que son serviteur vous viendra en aide ? Rendez-vous au **65**
Quitter la pièce et retourner au croisement ? Rendez-vous au **293**

169

Une à une, toutes les clés s'engagent et tournent dans les serrures. Vous les avez placées comme il fallait ! Lorsque tourne la dernière clé, le couvercle du coffre se libère et vous le soulevez. Rendez-vous au **400** pour voir ce qu'il vous révèle.

170

Le crucifix est en argent massif et vaut 4 Pièces d'Or. Inscrivez-le sur votre *Feuille d'Aventure* et rendez-vous au **319**.

168 *Un fouet à la main, le Chef des Farfadets est en train d'infliger une correction à son serviteur...*

171

Vous vous trouvez à l'extrémité nord d'un court passage nord-sud. Vous êtes devant un cul-de-sac. Si vous voulez examiner le mur, rendez-vous au **337**. Pour aller au sud, rendez-vous au **187**.

172

Le vieil homme bat des paupières et ouvre les yeux. Il vous voit et saisit une moitié de rame posée près de son banc. Voús lui expliquez que vous ne lui voulez aucun mal, mais il reste sur ses gardes et vous observe avec méfiance. Bien qu'il semble lui-même plutôt inoffensif, son chien pourrait se révéler dangereux. Les bottes du vieil homme sont délacées. Qu'allez-vous faire ?

Vous précipiter sur le chien en brandissant votre épée ?	Rendez-vous au **249**
Demander à l'homme des renseignements qui pourraient vous aider dans votre quête ?	Rendez-vous au **141**
Lui dire que les lacets de ses bottes sont défaits ?	Rendez-vous au **165**

173

Seules les armes en argent seront efficaces dans la situation présente. Lorsque la créature vous aura infligé votre *troisième* blessure, rendez-vous au **24**. Si vous parvenez à la terrasser avant cela, rendez-vous au **135** ; vous pouvez également prendre la *fuite* par la porte nord (rendez-vous dans ce cas au **360**). Si vous disposez de « Celui qui donne Sommeil », *Tentez votre Chance*. Si vous êtes chanceux, vous faites mouche et la créature meurt sur le coup. Si vous êtes malchanceux, vous la ratez.

174

Rendez-vous au **198**.

175

Vous vous trouvez dans un couloir étroit. Derrière vous, il y a une porte qui donne à l'est. Droit devant, il y a un croisement. Si vous voulez franchir la porte, rendez-vous au **177**. Pour aller au croisement, rendez-vous au **267**.

176

Tandis que vous marchez le long du passage, il s'élargit de plus en plus et, finalement, vous arrivez à l'entrée d'une caverne, une sorte de grotte naturelle s'enfonçant dans le roc. Vous jetez un coup d'œil dans l'obscurité : apparemment, la caverne fait environ trente mètres de long et ne comporte aucune issue visible. Voulez-vous pénétrer dans cette caverne (et vous rendre au **270**), ou préférez-vous revenir vers la bifurcation (rendez-vous dans ce cas au **375**) ?

177

Vous vous trouvez dans un passage nord-sud. Au nord, vous apercevez un autre couloir qui bifurque vers l'est. Si vous voulez vous y rendre, allez au **52.** Au sud, le passage tourne vers l'ouest. Vous pouvez vous rendre à l'extrémité sud du passage en allant au **391**. Dans le mur ouest, en face de vous, il y a une porte secrète. Si vous désirez la franchir, rendez-vous au **175**.

178

En avançant avec prudence, sur la pointe des pieds, vous traversez la pièce pour atteindre la porte dans le mur nord. Vous ouvrez cette porte et vous la franchissez. Rendez-vous au **162.**

179

Vous venez d'entrer dans une grande pièce carrée. Des débris de poteries traînent çà et là sur le sol. Vous apercevez également un grand vase d'argile, intact, et rempli d'un liquide clair. Il y a aussi un grand bol plein de Pièces d'Or. Lorsque vous pénétrez dans la pièce, la porte claque derrière vous et vous vous retournez pour faire face à une créature à l'aspect étrange, moitié homme, moitié taureau. La créature vous regarde d'un air menaçant. C'est un MINOTAURE et il s'avance vers vous !
Il incline la tête, ses cornes pointées sur votre poitrine, et se met à charger. Il vous faut le combattre :

MINOTAURE HABILETÉ : 9 ENDURANCE : 9

Après le troisième assaut, vous vous arrangez pour faire un mouvement circulaire qui vous rapproche de la porte par laquelle vous pouvez vous enfuir. Si vous voulez prendre la *fuite* à ce moment-là, rendez-vous au **54** sans oublier de retirer vos points de pénalité. Si vous poursuivez le combat et que vous le tuez, rendez-vous au **258.** Si vous êtes déjà venu dans cette pièce et si vous avez déjà tué le Minotaure, vous l'aurez trouvée vide la deuxième fois. Dans ce cas, sortez et rendez-vous au **54.**

179 *Vous vous retournez pour faire face à une créature à l'aspect étrange, moitié homme, moitié taureau, qui vous fixe d'un air menaçant.*

180

Le passage va vers l'ouest, puis tourne au sud. Finalement, vous arrivez à un cul-de-sac. Vous pouvez retourner à la croisée des trois chemins et aller à l'est (rendez-vous alors au **70**), ou au nord (rendez-vous au **329**) ; vous pouvez également explorer le cul-de-sac (rendez-vous au **22**).

181

Vous courez le long du couloir en quête d'une porte, mais vous n'en trouvez pas. Vos oreilles vous font terriblement mal ! Vous perdez encore un point d'HABILETÉ. Vous pouvez essayer le mur ouest (rendez-vous au **355**) ou le mur nord (rendez-vous au **265**), mais il vous faut de toute façon trouver très vite une issue !

182

Deux des clés s'adaptent parfaitement aux serrures. Mais pas la troisième. Vous faites un bond de côté car un jet de liquide vient de jaillir du coffre. Il vous a manqué de justesse, mais vous perdez quand même 2 points d'ENDURANCE : le liquide en effet répand des vapeurs acides qui vous font tousser et étouffer à moitié.

Vous revenez devant le coffre et vous essayez une nouvelle combinaison de trois clés. Faites la somme des chiffres gravés sur les clés choisies et rendez-vous au paragraphe correspondant à ce total.

Si vous n'avez pas d'autres clés à essayer, vous vous asseyez, épuisé et désespéré d'avoir échoué si près du but. Pensez à chercher des clés, la prochaine fois que vous pénétrerez dans les souterrains !

183

Vous fouillez les corps des Farfadets morts, mais vous ne trouvez que quelques dents, des ongles, des os et des couteaux disséminés dans leurs poches. Vous fouillez également les placards autour de la pièce mais vous n'y découvrez que des bols, des assiettes et des cuillères rudimentaires. Sous un dressoir, cependant, vous trouvez une mallette de cuir fin d'une cinquantaine de centimètres de long. Vous pouvez ouvrir cette mallette (rendez-vous au **266**), ou la laisser là et sortir par la porte (rendez-vous au **237**). Vous êtes fier de votre victoire, et vous prenez 1 point d'HABILETÉ et 5 d'ENDURANCE.

184

Vous êtes seul dans le Hangar à Bateaux et vous disposez d'un certain laps de temps pour l'explorer avant le retour inévitable des Squelettes. Vous pouvez fouiller les tiroirs des établis (rendez-vous au **322**), ou examiner les outils (rendez-vous au **34**) avant qu'ils ne reviennent. Tandis que vous commencez vos investigations, vous entendez un bruit qui provient de derrière la porte aménagée dans le mur nord.

185

La main se ratatine et se renfonce dans le sol. En même temps, les autres mains s'immobilisent et retombent en disparaissant dans les dalles. Cette fois, vous décidez de marcher sur les dalles en forme d'étoiles et vous traversez la pièce avec prudence, en direction de la porte dans le mur nord. La porte s'ouvre. Prenez 2 points de CHANCE. Rendez-vous au **162**.

186

Rendez-vous au **198.**

187

Vous êtes debout dans le couloir, au milieu d'un tournant. Au nord, le passage se termine par un cul-de-sac. Si vous voulez l'explorer, rendez-vous au **171**. Si vous préférez aller vers l'est, rendez-vous au **308.**

188

Il fait à présent un peu moins de deux mètres de haut. Il avance sur vous. Son corps est couvert de poils. Ses dents sont pointues. Ses yeux lancent des éclairs. Ses ongles sont aussi acérés que des griffes. Son nez s'est transformé en un museau de rat. C'est un RAT–GAROU !

RAT–GAROU HABILETÉ : 8 ENDURANCE : 5

Combattez-le. Si vous êtes vainqueur, rendez-vous au **342.** Si vous choisissez de prendre la *fuite,* vous pouvez le faire en traversant le pont branlant (rendez-vous alors au **209**).

189

La porte s'ouvre sur un petit couloir qui aboutit quelques mètres plus loin à une autre porte semblable à celle que vous venez de franchir. Vous vous penchez pour écouter, mais vous n'entendez rien. Vous essayez de tourner la poignée, et avec succès puisque la porte s'ouvre sans résistance, découvrant une autre pièce de même dimension. Cette pièce est magnifiquement décorée ; le sol est de marbre poli et les murs de pierres brutes

189 *Cette pièce est magnifiquement décorée...*

sont peints en blanc. À chacun des quatre murs sont accrochés des tableaux et il y a une autre porte aménagée dans le mur nord. Vous pouvez traverser cette pièce (et vous rendre au **90**), ou vous attarder pour contempler les tableaux (vous irez alors au **25**).

190

Vous vous trouvez dans un étroit passage nord-sud. Au nord, il finit en cul-de-sac. Vous pouvez explorer cette impasse (et vous rendre au **167**) ou n'y accorder aucune attention et revenir au croisement (rendez-vous au **359**).

191

Il pousse un hurlement et se cache derrière son bureau. Il est terrifié par votre comportement agressif. D'une petite voix aiguë, il vous déclare qu'il est le maître du Labyrinthe de Zagor. Vous lui parlez pour le rassurer, en lui expliquant que vous ne lui voulez aucun mal. Finalement, il sort de derrière son bureau. Il s'assied et tandis qu'il reprend confiance, une chose étrange se produit. Son attitude devient ferme et assurée. Il cite le titre d'un livre qu'il montre du doigt ; aussitôt, le livre glisse de son étagère, s'envole et vient se poser sur le bureau, devant lui. Vous en tirez la conclusion que ce personnage est un Sorcier doté de pouvoirs surnaturels ; peut-être même est-ce le

Maître de la montagne en personne, venu voir ce que vous faites dans son domaine. Vous lui demandez quel chemin prendre pour sortir du labyrinthe. Il vous répond qu'il faut franchir la porte sud, passer devant une autre porte située sur votre droite, c'est-à-dire à l'ouest, jusqu'à ce que vous parveniez au bout du couloir. Là, vous devrez tourner à gauche. Vous traverserez un croisement, puis vous prendrez à nouveau à gauche à la bifurcation suivante.

Si vous suivez ce conseil, sortez par la porte sud et empruntez le chemin indiqué jusqu'à ce que vous arriviez au deuxième croisement — Rendez-vous au **308**

Si vous décidez de sortir par la porte sud, mais de prendre ensuite un autre chemin — Rendez-vous au **392**

Si vous préférez sortir par la porte ouest — Rendez-vous au **46**

192

Rendez-vous au **169**.

193

La porte s'ouvre et vous entrez dans une petite pièce. Vous écarquillez les yeux en regardant autour de vous car les murs de la pièce sont finement ouvragés, couverts de mosaïques et d'incrustations de marbre qui donnent à l'endroit une beauté inattendue, telle que jamais encore vous n'en avez vu. Dans un coin se dresse une haute statue de métal représentant une créature dotée d'un œil unique au milieu du front. C'est un Cyclope et son œil est constitué d'une pierre précieuse étincelante. Comme il n'y a pas d'autre issue dans la pièce, il va falloir rebrousser chemin jusqu'à la bifurcation – mais cette pierre précieuse est tentante. Allez-vous la laisser là et revenir au croisement (rendez-vous alors au **93**), ou essayer de la dessertir pour la prendre avec vous (rendez-vous au **338**) ?

194

Vous tendez votre arc et vous tirez, mais vous constatez avec désespoir que la flèche s'arrête à quelques centimètres de sa poitrine et tombe sur le sol sans l'avoir atteint. Il lève les yeux et vous regarde avec un sourire sinistre et triomphant. Qu'allez-vous faire ?

Tirer votre épée et avancer sur lui ? Rendez-vous au **142**.
Essayer de trouver autre chose dans votre sac à dos avec quoi l'affronter ? Rendez-vous au **105**.

195

C'est une histoire peu vraisemblable que vous

193 *Dans un coin se dresse une haute statue...*

racontez là car ils ne voient pas beaucoup d'êtres humains, et on les aurait prévenus de l'arrivée d'un nouveau patron. Les Squelettes, cependant, n'ont pas l'esprit très vif – vous le savez et c'est pourquoi vous avez essayé ce mensonge. Lancez un dé. Si vous faites un 1 ou un 2, ils ne vous croient pas et continuent d'avancer sur vous. Rendez-vous au **140.**

Si vous faites un 3 ou un 4, ils ne savent que penser et envoient deux des leurs aux nouvelles. Pendant qu'ils vont se renseigner, les autres vous maintiennent sous la menace de leurs armes. Rendez-vous au **164.**

Si vous faites un 5 ou un 6, ils vous croient et reprennent le travail ! Allez au **9,** et ajoutez-vous 2 points de CHANCE.

196

Vous fouillez la pièce. Malgré tous vos efforts, vous ne parvenez pas à découvrir le mécanisme secret qui permet d'ouvrir la porte dans la bibliothèque. Le vieil homme a dû la fermer de l'intérieur. En revanche, vous trouvez 5 Pièces d'Or dans un tiroir de la table. Vous prenez la décision de rebrousser chemin vers le sud en direction de la bifurcation. Rendez-vous au **280.**

197

Au sommet des marches, le passage s'oriente brusquement à l'est. Vous vous arrêtez quelques instants pour vous repérer et vous entendez bientôt un grincement dans le roc, juste derrière vous. Vous vous retournez à temps pour voir se baisser une lourde herse qui barre soudain le passage par lequel vous êtes venu. Il ne vous reste plus qu'à avancer, à présent ! Vous pouvez partir tout droit (rendez-vous alors au **48**), ou essayer de découvrir un passage secret dissimulé dans le mur (rendez-vous au **295**).

198

L'une des clés fonctionne, mais pas les deux autres. Tandis que vous essayez malgré tout de les faire tourner dans les serrures, vous entendez deux petits déclics suivis de deux bruits métalliques : deux minuscules fléchettes viennent de jaillir du coffre, pointées dans votre direction. Vous faites un bon en arrière pour essayer de les éviter, mais votre tête heurte le mur derrière vous et vous vous effondrez sur le sol, inconscient. *Tentez votre Chance.* Si vous êtes chanceux, les fléchettes vous ratent et vous revenez à vous avec un fort mal de tête. Vous perdez 2 points d'ENDURANCE. Si vous êtes malchanceux, les fléchettes vous atteignent et vous ne vous réveillerez plus jamais. Si vous avez eu de la chance, vous pouvez essayer d'autres clés (rappelez-vous que l'*une* de ces clés est bonne). Faites la somme des chiffres des nouvelles clés et rendez-vous au numéro obtenu.

Si vous avez essayé toutes les combinaisons possibles avec les clés qui sont en votre possession, il ne vous reste plus qu'à vous enfouir le visage dans les mains et à pleurer, car vous étiez tout près de réussir mais il va falloir recommencer à zéro. Retournez à l'entrée de la montagne, et pensez cette fois à chercher des clés au cours de vos pérégrinations !

199

Le passage s'élargit devant vous et vous pouvez voir une grande caverne un peu plus loin. Vous l'examinez à la lumière de votre lanterne et vous apercevez des armes de pierre posées sur le sol ; il y a également un feu de bois qui couve au centre de la caverne. Vous ne trouvez aucune issue, cependant. Il ne vous reste plus qu'à revenir sur vos pas, mais, lorsque vous vous retournez, vous vous immobilisez soudain en voyant deux HOMMES DES CAVERNES qui vous barrent le passage vers la sortie. Ils grognent en vous observant avec agressivité. Vous tirez votre épée et vous vous tenez prêt à combattre.

	HABILETÉ	ENDURANCE
Premier HOMME DES CAVERNES	7	6
Deuxième HOMME DES CAVERNES	6	4

Affrontez-les un par un. Si vous êtes vainqueur, quittez la caverne et retournez à la bifurcation. Rendez-vous au **283**.

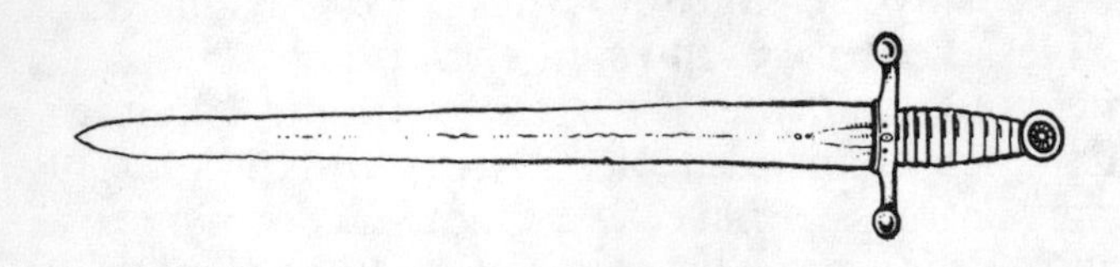

200

Rendez-vous au **387**.

201

Vous vous effondrez sur le sol. Vous retirez la fléchette et vous pansez la blessure. Vous en ressentez quelque soulagement, mais vous restez quand même affaibli. Vous décidez de prendre les choses calmement et d'examiner le contenu du coffre. Mais avant cela, vous pouvez prendre un Repas, si vous le désirez. Il y a 25 Pièces d'Or dans le coffre ; quant à la bouteille, d'après l'étiquette, elle contient une dose, et une seule, de Potion d'Invisibilité. Le gant reste un mystère. Vous avez le droit de ranger l'une de ces trois trouvailles dans votre sac à dos ; vous quittez ensuite la pièce pour vous rendre au **293.**

202

Vous mettez le casque sur votre tête. Il vous va bien. Mais soudain, vous ressentez au front une douleur fulgurante. Vous êtes pris de panique. Ce casque est ensorcelé, et il vous est impossible de l'enlever en dépit de vos efforts désespérés. Vous perdez 1 point d'HABILETÉ. Bientôt, la douleur disparaît, mais vous ne parvenez toujours pas à ôter le casque de votre tête. Vous revenez sur vos pas en titubant et vous essayez de reprendre vos esprits tandis que vous retournez à la bifurcation. Rendez-vous au **87.**

203

Prenez 1 point de CHANCE pour avoir vaincu le Loup-Garou. Vous pouvez vous reposer et manger si vous le désirez. Vous jetez un coup d'œil autour de la pièce, et vous ne trouvez rien de bien intéressant à l'exception d'un trousseau de clés dont l'une porte la mention : « Hangar à Bateaux. » Aucune de ces clés n'est numérotée. Vous pouvez les prendre si vous le souhaitez. Il y a des portes à l'ouest et au sud. Si vous ouvrez la porte à l'ouest, rendez-vous au **38.** Si vous préférez aller au sud, rendez-vous au **66.**

204

Le vieil homme ne lève pas les yeux de la table, mais son petit animal diabolique vous regarde d'un air soupçonneux et commence à émettre des sons d'une voix frêle et aiguë. Le vieillard laisse échapper un grognement et vous demande si vous êtes homme à jouer avec lui en misant de l'argent. Si vous acceptez (et vous ne pouvez le faire que si vous disposez au moins d'1 Pièce d'Or), rendez-vous au **130.** Sinon, vous avez le choix entre quitter la pièce (et vous rendre au **280**), ou attaquer le vieil homme (rendez-vous alors au **377**).

205

La porte s'ouvre et vous vous retrouvez dans une sorte de crypte obscure. L'endroit est vaste. Un autel est dressé à l'une des extrémités de la crypte, et des cercueils sont posés çà et là sur le sol. Il y a une porte derrière vous dans le mur situé au sud, et une autre dans le mur nord. Si vous désirez fouiller cette pièce, rendez-vous au **254.** Si l'endroit vous fait peur, vous pouvez le quitter par la porte ouest (rendez-vous au **380**).

206

Vous entrez dans une grande pièce carrée. Au centre de la pièce, un vieil homme aux cheveux gris est assis à un bureau. Des papiers et des par-

205 *Un autel est dressé... et des cercueils sont posés çà et là sur le sol.*

chemins de toute sorte s'entassent devant lui, et il tient à la main une longue plume d'oie. Il est entouré de livres, il y en a des milliers alignés sur les étagères qui recouvrent les murs du sol au plafond. Lorsque vous entrez, il lève les yeux sur vous. Va-t-il vous reconnaître ? Si vous êtes déjà venu dans cette pièce, rendez-vous au **284** ; sinon, allez au **341.**

207

En franchissant la porte, vous pénétrez dans une grande pièce. Le sol est jonché de débris de bois. En dehors de la porte que vous venez de passer, il en est une autre dans le mur nord. Dans un coin se trouve un bureau de bois brut sur lequel est posée une boîte. Dans un autre coin, apparemment endormie (à moins qu'elle ne soit morte), une créature hideuse est étendue ; elle a la taille d'un homme, la peau couverte de verrues, les cheveux en bataille et ses ongles sont de véritables griffes. Allez-vous essayer d'atteindre la porte nord en marchant sur la pointe des pieds (rendez-vous alors au **83**), ou vous approcher du bureau, toujours sur la pointe des pieds, pour voir ce que contient la boîte (rendez-vous dans ce cas au **154**) ?

208

Un peu plus loin dans le passage qui longe le mur ouest, vous trouvez une autre porte. Vous collez votre oreille contre le panneau, mais vous n'entendez rien. Si vous voulez essayer d'ouvrir cette porte, rendez-vous au **397.** Si vous préférez poursuivre votre chemin, rendez-vous au **363.**

209

Les planches du pont laissé à l'abandon pendant des années sont complètement pourries. L'une d'elles se casse net sous vos pas. Lancez un dé. Si vous faites un 6, vous tombez dans la rivière et vous allez au **158.** Si vous faites entre 1 et 5, vous parvenez à reprendre votre équilibre. Rendez-vous au **47.**

210

En suivant le passage, vous arrivez bientôt à une autre bifurcation qui vous donne le choix entre continuer tout droit en direction de l'ouest (rendez-vous au **225**), ou prendre la direction du nord (rendez-vous au **357**).

211

Les Êtres ne sont vulnérables qu'aux armes d'argent massif. Si l'arme que vous avez en main n'est pas en argent, lancez un nouvel assaut. Rappelez-vous que chaque blessure qu'il vous inflige compte, mais que vous ne pouvez pas le blesser ; de ce fait, sa force restera intacte (HABILETÉ : 9, ENDURANCE : 6) à moins que vous n'ayez choisi une arme en argent.

Si vous disposez d'une telle arme, vous feriez bien de vous en servir à présent en vous rendant au **173.** Si vous n'en avez pas, ou si vous estimez que vous avez suffisamment pâti du combat, il ne vous reste plus qu'à vous *enfuir* par la porte nord (rendez-vous au **360**). Rappelez-vous que, dans ce cas, il vous inflige une dernière blessure tandis que vous vous échappez.

212

Le parchemin est très abîmé et presque illisible. Il s'agit sans doute d'une carte au-dessus de laquelle on peut lire les mots : « *Le Labyrinthe de Zagor.* » Les seuls éléments que vous puissiez tirer de l'examen du document, c'est qu'il se trouve au nord une pièce désignée par les lettres « ...GER », et une autre au sud à côté de laquelle figurent les lettres : « SM...P...LE ».

Vous pliez la carte et la glissez dans votre poche.

Si vous n'avez pas encore essayé de boire le liquide contenu dans la bouteille, vous pouvez le faire, si tel est votre désir ; rendez-vous dans ce cas au **369.** Dans le cas contraire, vous pouvez poursuivre votre chemin en direction du nord (rendez-vous au **120**).

213

La porte est fermée à clé. Vous pouvez essayer de l'enfoncer en jetant deux dés. Si le chiffre obtenu est égal ou inférieur à votre total d'HABILETÉ, la porte s'ouvre sous les coups et vous allez au **36.**

Si le chiffre donné par les dés est supérieur à vos points d'HABILETÉ, la porte reste fermée, vous perdez 1 point d'ENDURANCE pour vous être fait mal à l'épaule, et il vous faut poursuivre votre chemin le long du passage en vous rendant au **314.**

214

Face à vous, c'est-à-dire au nord, il y a un pan de roc lisse et luisant d'humidité. Des mousses de diverses couleurs poussent à sa surface. Il règne un silence inquiétant ponctué seulement par le clapotis de la rivière qui coule derrière vous. Vous avez trois possibilités :

Il existe un passage orienté au nord-ouest ; si vous le prenez — Rendez-vous au **271**

Au milieu de la paroi rocheuse, face à vous, se trouve une porte de bois ; si vous ouvrez la porte — Rendez-vous au **104**

Un autre passage suit le cours de la rivière en direction de l'est. Si vous voulez l'emprunter — Rendez-vous au **99**

215

Vous fouillez dans votre sac à dos à la recherche du bâton, mais vous vous apercevez qu'il s'est cassé en deux ! Il s'est brisé pendant vos pérégrinations. Que décidez-vous ?

Vous tirez votre épée et vous partez à l'attaque ? — Rendez-vous au **142**

Vous essayez de trouver autre chose dans votre sac à dos ? — Rendez-vous au **105**

216

L'eau est rafraîchissante. À mesure que vous en

buvez, vous sentez un influx bienfaisant se répandre dans tout votre corps, comme si vous vous abreuviez à une fontaine de jouvence. Prenez 4 points d'ENDURANCE et rétablissez vos points d'HABILETÉ et de CHANCE à leur niveau *initial*. Ce qui est pour vous une fontaine de vie devient sans doute une fontaine de mort pour les Lutins malfaisants. Vous pouvez prendre un Repas en cet endroit. Lorsque vous serez reposé, sortez par la porte nord. Rendez-vous au **384.**

217

L'épieu manque de peu la tête du vampire. En observant sa trajectoire, votre regard croise à nouveau celui de la créature. Une fois encore, le Vampire vous ordonne d'avancer, et une fois encore, votre volonté est anéantie. Rendez-vous au **118.**

218

Vous vous trouvez sur la berge sud d'une rivière souterraine et vous contemplez ses obscures profondeurs. Il semble qu'il y ait quatre moyens de la traverser. À votre gauche, une cloche rouillée porte une inscription : « Service du bac, tarif 2 Pièces d'Or, sonnez S.V.P. » Juste devant vous, un petit radeau muni d'une longue perche est amarré à la berge ; vous pourriez l'utiliser pour traverser. À droite, un vieux pont branlant enjambe la rivière. Et si vous n'avez confiance ni dans le bac, ni dans le radeau, ni dans le pont, vous avez la possibilité de nager jusqu'à l'autre rive. Quel moyen allez-vous choisir ?

218 *Vous vous trouvez sur la berge sud d'une rivière souterraine et vous contemplez ses obscures profondeurs.*

Sonnerez-vous la cloche ?	Rendez-vous au **3**
Utiliserez-vous le radeau ?	Rendez-vous au **386**
Vous risquerez-vous sur le pont ?	Rendez-vous au **209**
Préférez-vous nager ?	Rendez-vous au **316**

219

Rendez-vous au **182.**

220

Vos plaisanteries l'exaspèrent. Il agite la main, marmonne quelques étranges syllabes, puis pointe l'index dans votre direction. Aussitôt, vous avez la tête qui tourne et vous tombez évanoui.

Lorsque vous reprenez conscience, vous êtes étendu dans un passage qui se termine en cul-de-sac. Rendez-vous au **171.**

221

Quels sont ces mystérieux objets que vous avez rassemblés ? Qu'avez-vous inscrit en premier sur votre Liste d'Équipement ?

L'armure ?	Rendez-vous au **72**
Le bouclier ?	Rendez-vous au **132**
L'épée ?	Rendez-vous au **27**
L'or ?	Rendez-vous au **110**
Le crucifix ?	Rendez-vous au **170**

222

Vous remontez un long couloir, puis vous suivez un tournant en épingle à cheveux situé à son sommet et finalement vous parcourez un passage est-ouest, à l'est d'un croisement. Rendez-vous au **85**.

223

La porte est solidement fermée. Vous pouvez essayer de la forcer (rendez-vous au **53**), ou continuer le long du couloir (rendez-vous au **300**).

224

Tandis que vous observez les mouvements de la créature, vous croisez soudain son regard perçant. Vous êtes magnétisé et votre volonté disparaît ; la créature vous ordonne alors de vous avancer vers elle. Rendez-vous au **118**.

225

Le passage continue vers l'ouest, puis tourne droit au nord. Un peu plus loin, vous arrivez à une bifurcation où un couloir étroit reprend la direction de l'ouest. Allez-vous poursuivre vers le nord (et vous rendre au **77**), ou choisir d'aller à l'ouest (et vous rendre au **63**) ?

226

Vous parcourez une courte distance vers le sud puis vous rencontrez un croisement. Rendez-vous au **267**.

227

La porte s'ouvre et vous vous retrouvez dans une petite pièce enfumée. Quatre petits hommes d'un mètre de hauteur chacun, mais apparemment d'âge mûr, sont assis autour d'une table de bois ; ils ont la peau tannée et de longues barbes en broussaille. Ils jouent aux cartes en échangeant des rires, des jurons ou des plaisanteries. Chacun d'eux est appuyé contre le dossier d'une chaise minuscule et tire sur une longue pipe au fourneau d'argile. Sur la table, il y a un tas de pièces de cuivre et quatre chopes de bière.
À votre entrée, ils cessent de rire et de jouer. Ils sont sur leur garde, mais n'ont pas l'air très dangereux. L'un d'eux se lève et formule quelques commentaires concernant votre manque d'éducation, car vous n'avez pas frappé avant d'entrer. Les trois autres approuvent d'un hochement de tête. Que faites-vous ?

Vous bavardez avec eux en essayant de vous en faire des amis ? Rendez-vous au **131**

Vous vous excusez, vous les saluez et vous quittez la pièce ? Rendez-vous au **291**

Vous vous proposez comme partenaire pour jouer avec eux ? Rendez-vous au **100**

Vous tirez votre épée et vous attaquez leur chef, celui qui s'est levé ? Rendez-vous au **20**

Si vous êtes déjà venu dans cette pièce, vous la trouvez vide. Rendez-vous alors au **291.**

227 *Quatre petits hommes sont assis autour d'une table de bois. Ils ont la peau tannée, et de longues barbes en broussaille.*

228

Vous ne trouvez pas de passage secret. Vous faites attention de ne pas être trop bruyant, pour ne pas attirer quelque créature errant dans les parages. Vous restez un instant immobile à écouter, mais vous n'entendez rien. Vous retournez alors au croisement. Rendez-vous au **85.**

229

Vous êtes de retour à la bifurcation, et cette fois, vous prenez à droite. Rendez-vous au **69.**

230

La créature qui vous fait face à présent est une femme aux chairs à moitié décomposées. Ses yeux vifs vous observent en remuant en tous sens. Sa langue très longue jaillit par instants de sa bouche avec un sifflement. Elle a les dents et les ongles pointus, et ne semble nullement s'effrayer de votre arme. C'est une GOULE !

GOULE	HABILETÉ : 8	ENDURANCE : 7

Elle aura la faculté de vous paralyser si jamais elle parvient à vous infliger quatre blessures distinctes, lors du combat ; aussi, prenez garde ! Si vous êtes vainqueur, rendez-vous au **390.** Si elle vous tue ou vous paralyse, allez au **64.**

231

Rendez-vous au **182.**

232

Presque épuisé par votre difficile combat contre l'Araignée, vous vous mettez à taillader les bottes avec votre épée pour vous en libérer. Elles se déchirent enfin et vous pouvez à présent quitter la caverne et retourner au croisement en reprenant le passage par lequel vous êtes venu. Rendez-vous au **375**.

233

Rendez-vous au **198**.

234

Vous ne trouvez aucun passage secret. En revanche, votre manège a attiré l'attention d'une créature sinistre... Rendez-vous au **161**, et vous découvrirez ce qui vient d'apparaître devant vous. Vous aurez à combattre ce monstre.
Si vous êtes vainqueur, vous pouvez poursuivre votre chemin le long du couloir en vous rendant au **43**. Inscrivez ce chiffre « **43** » pour vous en souvenir.

235

Le passage que vous suivez mène vers l'ouest puis tourne brusquement au nord ; quelques mètres plus loin, vous trouvez un autre couloir qui reprend la direction de l'ouest. Vous pouvez choisir de prendre ce passage orienté à l'ouest (rendez-vous au **176**), ou de continuer tout droit vers le nord. Dans ce cas, rendez-vous au **5**.

236

Le combat s'engage. Les squelettes vous attaquent un par un :

	HABILETÉ	ENDURANCE
SQUELETTE A	6	5
SQUELETTE B	6	6
SQUELETTE C	5	5

Si vous êtes vainqueur, rendez-vous au **395**.

237

Vous courez le long du passage et vous arrivez de nouveau à la bifurcation. Cette fois, prenez la direction du nord, et rendez-vous au **285.**

238

Vous êtes à la croisée de trois chemins.

Pour aller à l'est	Rendez-vous au **70**
Pour aller à l'ouest	Rendez-vous au **180**
Pour aller au nord	Rendez-vous au **329**

239

Vous repensez aux paroles du vieil homme : « Vous pourriez en avoir besoin plus tôt que vous ne croyez... », vous a-t-il dit. Vous cherchez à tâtons dans votre sac à dos et vous en retirez la chandelle. Elle s'allume aussitôt d'elle-même. Le hurlement s'arrête et la pièce apparaît baignée d'une lumière bleue que diffuse la chandelle. Sur les murs, les silhouettes peintes se mettent à bouger ! Elles semblent pousser des cris silencieux, comme si elles étaient prisonnières d'un enfer en deux dimensions. Dans le mur opposé, une autre porte est aménagée. Vous pouvez la franchir (rendez-vous au **88**), ou rester dans la pièce pour poursuivre votre examen des lieux (rendez-vous alors au **149**). Prenez un point de CHANCE pour vous récompenser de votre prévoyance.

240

La boîte est légère, mais quelque chose fait du bruit à l'intérieur. Vous soulevez le couvercle et un petit SERPENT jaillissant de la boîte vous mord au poignet. Il vous faut combattre ce Serpent.

240 *Vous soulevez le couvercle, et un petit Serpent, jaillissant de la boîte, vous mord au poignet.*

SERPENT HABILETÉ : 5 ENDURANCE : 2

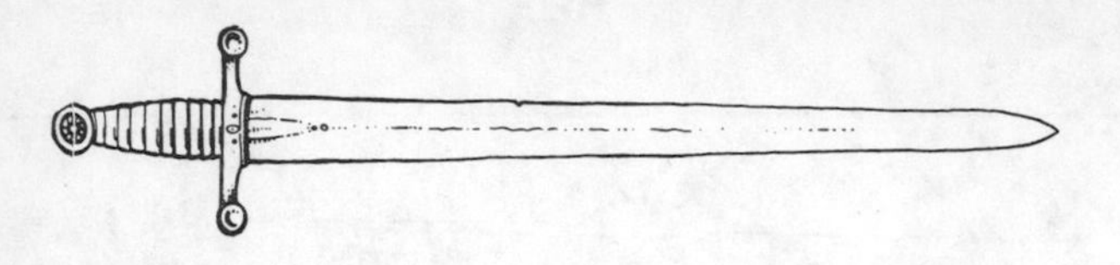

Si vous parvenez à le tuer, rendez-vous au **145.**

241

Tandis que vous vous lancez à l'attaque du portrait avec votre épieu, vous ressentez soudain une douleur, comme si on vous tordait le poignet.

Quelque force invisible vous oblige ainsi à laisser tomber votre arme. Vous décidez de prendre la fuite, et vous sortez par la porte nord. Rendez-vous au **90**, mais le pouvoir du Sorcier vous fait perdre un autre point d'HABILETÉ.

242

La porte s'ouvre sur une petite pièce faiblement éclairée. Les murs sont tendus de draperies ouvragées, dentelées d'or et d'argent. Une flamme solitaire brûle dans un coin projetant sa lumière sur une table basse au milieu de la pièce. Sur cette table, un grand coffre est posé. Vous vous avancez pour examiner le coffre et, à ce moment, un bruit mystérieux s'élève et vous environne sans que vous puissiez déterminer d'où il vient. C'est comme le roulement du tonnerre dans les nuages lorsque l'orage s'apprête à éclater.

Vous vous approchez du coffre et vous constatez qu'il est fermé par trois serrures. Le bruit s'intensifie à mesure de votre avance. Qu'allez-vous faire ?

Frapper le coffre de votre épée pour tenter d'en fendre le bois et l'ouvrir ainsi ? Rendez-vous au **379**

Fouiller dans votre sac à dos pour essayer d'y trouver des clés qui ouvriraient les serrures ? Rendez-vous au **139**

243

À votre grande horreur, vous réalisez que ce prétendu levier était un piège ! Bien qu'il ait l'apparence d'une poignée, il s'agit en fait d'une lame d'épée recouverte de cire, et vous vous êtes gravement coupé à la main en la saisissant. Est-ce la main droite ou la main gauche ?

Lancez un dé. Si le chiffre obtenu est impair, c'est la main avec laquelle vous tenez votre épée qui est blessée, et votre adresse à combattre s'en trouve fortement diminuée. Vous perdez 3 points d'HABILETÉ et 1 point d'ENDURANCE. Si vous avez obtenu un chiffre pair, c'est votre autre main qui est atteinte et, de ce fait, la blessure n'aura pas de trop fâcheuses conséquences. Vous perdez cependant 1 point d'HABILETÉ et 2 d'ENDURANCE. Si maintenant vous voulez essayer de tirer le levier de droite, rendez-vous au **128**. Vous n'avez d'ailleurs pas d'autre choix, car seul ce levier peut vous permettre d'aller plus loin – et faites attention : désormais, il faudra penser à vous servir de votre main valide !

244

Le passage est orienté vers le nord, et vous entendez à quelque distance le clapotis d'une rivière souterraine. L'air se rafraîchit. Vous parvenez bientôt sur la berge de la rivière. L'espace s'est agrandi, mais, à votre grand désespoir, il n'y a de toute évidence aucun moyen d'atteindre la rive opposée. La rivière coule en direction de l'est, et s'enfonce au sein d'une caverne qui s'ouvre dans le roc. Vous pouvez vous asseoir là, vous reposer et prendre un Repas (rendez-vous au **143**), ou continuer par le seul chemin qui semble possible, c'est-à-dire sauter dans la rivière et suivre le courant à la nage (rendez-vous au **399**).

245

Rendez-vous au **198.**

246

Vous vous mettez en route vers le sud par un passage pavé. Le passage tourne à l'ouest, puis au sud, puis à l'ouest encore, et vous mène enfin à la croisée de trois chemins.

Pour aller au nord	Rendez-vous au **329**
Pour aller à l'ouest	Rendez-vous au **180**
Pour aller à nouveau vers l'est	Rendez-vous au **70**

247

Il est quelque peu surpris par votre assaut, mais il se contente de lever la main. Aussitôt vous vous heurtez violemment à... rien du tout apparemment. Vous vous retrouvez assis par terre à vous frotter le nez, et vous vous sentez tout estourbi.

Vous perdez 2 points d'ENDURANCE. Le vieil homme pouffe de rire et dit : « Pauvre imbécile ; pensiez-vous que je restais sans défense en cet antre du mal ? Vous allez regretter votre folie. » Vous vous relevez et vous retournez dans le couloir en prenant la direction du nord. Rendez-vous au **292**.

248

La créature qui vient de s'éveiller est un FARFADET ! Il se met péniblement debout, et attrape une corde qui doit probablement actionner une sonnette d'alarme. Il vous faut l'attaquer vite.

FARFADET HABILETÉ : 6 ENDURANCE : 5

Si vous êtes vainqueur, vous pouvez continuer votre chemin le long du passage, et vous rendre au **301**.

249

Le chien bondit sur vous dès que vous avez bougé. Ses horribles dents noires se précipitent sur votre gorge ! Lorsqu'il ne se trouve plus qu'à deux mètres de vous, une flamme jaillit de sa gueule, et elle vous aurait atteint en plein visage si vous ne vous étiez baissé juste à temps ! Il vous faut à présent combattre le chien.

CHIEN HABILETÉ : 7 ENDURANCE : 6

À sa force d'attaque normale, il faut ajouter à chaque assaut l'avantage que lui donne son souffle de feu. Pour cela, lancez un dé. Si vous faites 1 ou 2, la flamme vous atteint, et vous perdez un

point d'ENDURANCE. Rappelez-vous qu'il faut lancer le dé à *chaque assaut* et que ces points éventuels de pénalité s'ajoutent à ceux que vous perdez selon les règles habituelles, au cours du combat. Si vous faites entre 3 et 6, vous évitez le jet de feu. Vous pouvez également vous servir de votre CHANCE pour esquiver la flamme. Si vous voulez prendre la *fuite*, la seule issue possible est la porte sud (rendez-vous alors au **66**).
Le vieil homme observe le combat et ne bouge pas tant que vous n'aurez pas tué son chien. Si vous parvenez à abattre l'animal, vous pouvez alors prendre la *fuite* par la porte sud (rendez-vous au **66**), mais vous n'aurez pas le temps d'emporter quoi que ce soit avec vous. Si vous préférez rester, rendez-vous au **304**. En cas de victoire, prenez de toute façon un point de CHANCE.

250

Vous vous trouvez dans un court passage qui se termine en cul-de-sac un peu plus loin. Vous examinez soigneusement la paroi rocheuse, mais il ne semble pas qu'il y ait d'issue. Vous revenez donc au croisement et, cette fois, vous continuez tout droit en direction du nord. Rendez-vous au **366**.

251

Le passage tourne brusquement au nord et vous entendez un bruit d'eau qui coule à quelque distance. Vous arrivez bientôt sur la berge sud d'une rivière souterraine. Debout sur les cailloux de la rive, vous percevez des battements d'ailes et vous levez les yeux : trois CHAUVES-SOURIS GÉANTES fondent sur vous pour vous attaquer

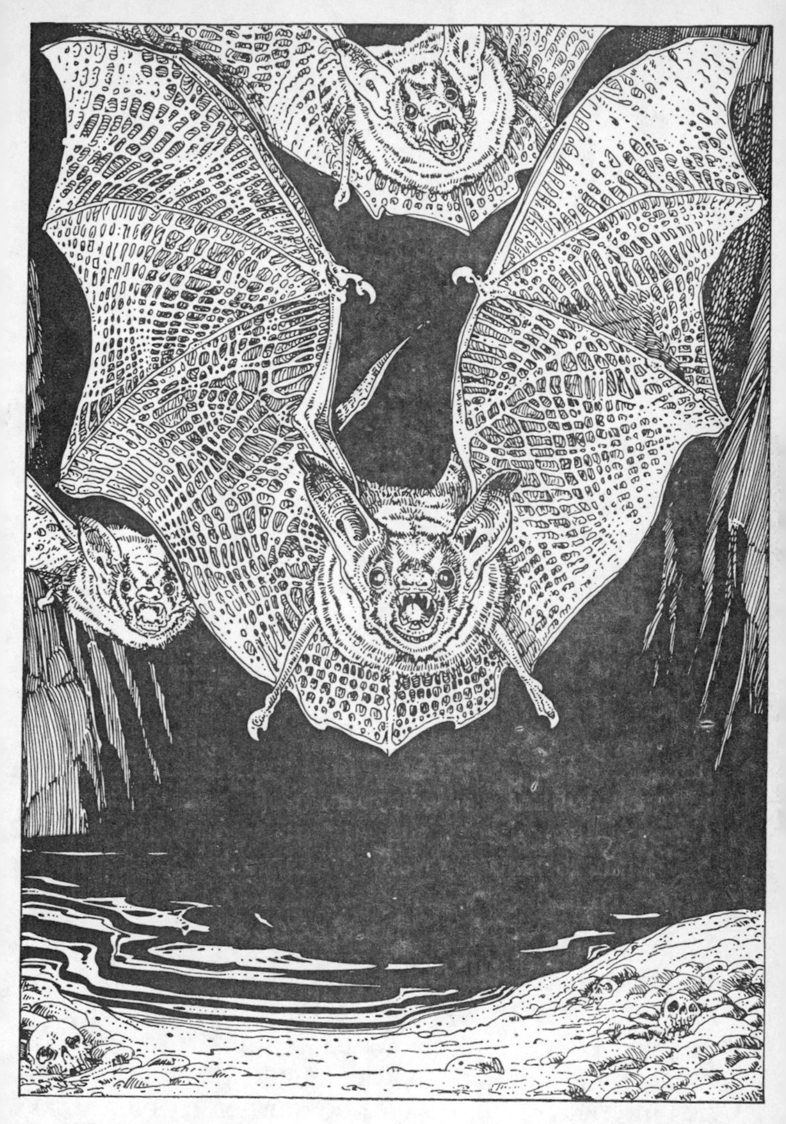

251 *... vous percevez des battements d'ailes : trois Chauves-Souris Géantes fondent sur vous.*

en piqué. Combattez-les toutes trois à la fois, comme si elles n'étaient qu'une seule et même créature.

CHAUVES-SOURIS
GÉANTES HABILETÉ : 6 ENDURANCE : 6

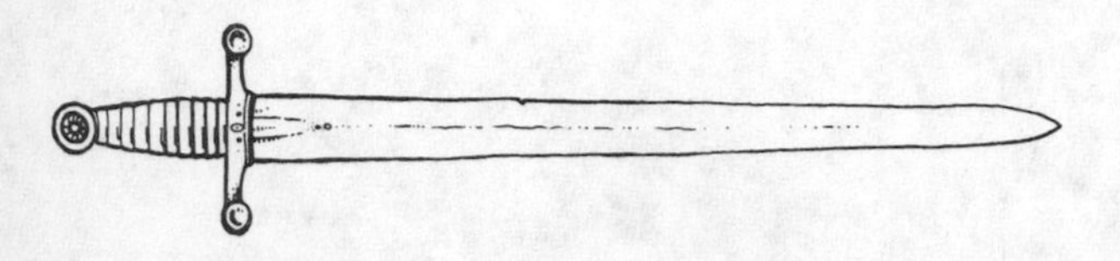

Si vous remportez la victoire, rendez-vous au **344**. Vous pouvez aussi prendre la *fuite* en sautant dans la rivière (rendez-vous au **399**).

252

Vous tirez le levier, et le mur de roc en face de vous, ainsi que la partie du sol sur laquelle vous vous tenez, se mettent à bouger avec un grincement sonore. Vous pivotez sur vous-même comme si vous étiez sur une immense table tournante, et vous vous retrouvez de *l'autre* côté de la paroi rocheuse dans un passage nord sud. Irez-vous au nord (rendez-vous dans ce cas au **312**) ou au sud (rendez-vous au **226**) ?

253

Le passage aboutit à une autre porte de bois. Cette fois, il s'agit d'une petite porte munie d'une poignée en os sculpté. Vous écoutez attentivement, mais vous n'entendez aucun bruit venant de l'intérieur. Vous essayez de tourner la poignée, et la porte s'ouvre sur une pièce en forme de poire dont le sol est constitué de pierres brutes sur lesquelles il n'est pas facile de marcher. Des pierres et de la poussière forment un tas de gravats dans un coin, mais il y a également deux morceaux de bois de forme étrange et une corde.

Dans le mur nord, une porte vous permet de poursuivre votre chemin. Qu'allez-vous faire ?

Examiner les morceaux de bois ? Rendez-vous au **328**

Examiner la corde ? Rendez-vous au **125**

Franchir la porte nord ? Rendez-vous au **73**

254

Il règne un silence mortel. Vous contournez les cercueils à pas feutrés, et vous sursautez en entendant un bruit d'eau qui s'écoule lentement, goutte à goutte. L'autel est finement sculpté et incrusté de pierres précieuses. Des draperies magnifiquement tissées, bien qu'usées jusqu'à la corde par endroits, couvrent les murs. Il y a exactement trois cercueils dans la pièce. Vous faites soudain volte-face en percevant un grincement, et la lumière de votre lanterne tombe sur le plus grand des cercueils. Il est en train de s'ouvrir !

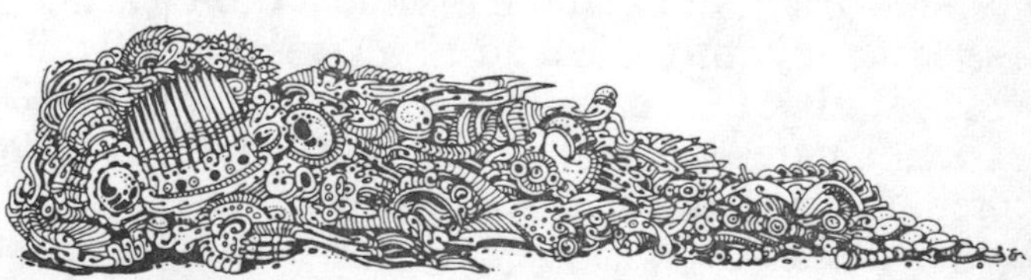

Tandis que vous gardez les yeux fixés sur le couvercle qui se soulève, un homme grand, au visage livide, se redresse et s'assied. Ses yeux s'ouvrent et se tournent vers vous. Alors, l'expression de son visage se transforme brusquement, passant de la placidité à une haine féroce. Sa bouche s'ouvre et un terrible sifflement monte de sa gorge. Il a comme des dents de loup. Il vous fait signe de vous approcher de lui. Vous avez le choix entre quatre possibilités :

Vous approcher de lui, comme il le souhaite	Rendez-vous au **352**
Tirer votre épée et vous apprêter au combat	Rendez-vous au **333**
Essayer de trouver dans votre sac à dos une autre arme pour l'attaquer	Rendez-vous au **279**
Courir vers la porte située à l'ouest	Rendez-vous au **380**

255

Le passage aboutit à une massive porte de bois. Si vous voulez essayer de l'ouvrir, rendez-vous au **193**. Si vous préférez revenir à la bifurcation et prendre un autre chemin, rendez-vous au **93**.

256

Vous vous trouvez à un croisement qui vous laisse le choix entre aller au nord (rendez-vous au **398**) – bien que dans cette direction, le passage aboutisse très vite à un cul-de-sac –, aller à l'ouest (rendez-vous au **297**), ou encore au sud (rendez-vous au **114**).

257

Le passage aboutit bientôt à une porte de bois. Vous écoutez à cette porte, et vous entendez des cris de colère qui proviennent de l'intérieur de la pièce. Allez-vous entrer pour voir ce qui se passe (rendez-vous alors au **168**), ou revenir sur vos pas (et vous rendre au **293**) ?

258

Vous examinez les débris de pots cassés, mais vous ne trouvez rien d'intéressant. Le liquide inodore a l'apparence et le goût de l'eau. Quant aux pièces dans le bol, il s'agit d'un leurre. Il y a bien huit Pièces d'Or à la surface (et vous pouvez les emporter avec vous), mais, au-dessous, ce ne sont que morceaux de poterie entassés.

Vous videz le bol, mais il vous glisse des mains et se brise sur le sol. Une clé de couleur rouge apparaît alors ; elle était cachée dans un double fond. Vous pouvez prendre cette clé. Elle porte le numéro *111*.

Vous avez la possibilité de vous reposer et de prendre un Repas. Vous gagnez 2 points de CHANCE pour avoir vaincu le Minotaure. Vous quittez ensuite la pièce. Rendez-vous au **54**.

259

Tout en nageant vers la rive après avoir abandonné le corps du Crocodile, vous jetez un coup d'œil en arrière et vous voyez la mystérieuse « turbulence » s'approcher du reptile mort. La « turbulence » s'agite soudain frénétiquement, puis s'éloigne, et il ne reste alors plus aucune trace du Crocodile. Vous vous félicitez de n'avoir pas eu l'occasion de voir ce qui provoquait ces étranges remous, et vous vous hissez sur la berge nord de la rivière. Vous gagnez 1 point d'HABILETÉ et 2 points de CHANCE. Rendez-vous au **7**.

260

Vous ne découvrez pas de passage secret. Si vous allez au nord, rendez-vous au **359**. Si vous allez au sud, rendez-vous au **329**.

261

Vous arrivez à la bifurcation, et vous poursuivez votre chemin vers l'est. Rendez-vous au **345**.

262

Un peu plus loin, vous atteignez une autre bifurcation qui vous permet d'aller soit vers l'est (rendez-vous au **199**), soit vers l'ouest (rendez-vous au **251**).

263

Vous criez : « Te voilà libre, vieillard ! » de toute la force de vos poumons. Il cesse aussitôt ses hurlements. S'arrêtant net, il s'effondre sur le sol et pleure à gros sanglots. Puis, petit à petit, il se reprend et vous remercie avec chaleur. Vous bavardez avec lui dans l'espoir de découvrir quelques secrets au sujet de la montagne, et il commence à vous conter son histoire.

Bien des années auparavant, il était, tout comme vous, un aventurier parti à la recherche du trésor gardé par le Sorcier. Les Farfadets l'avaient alors capturé et jeté dans cette cellule solitaire. Depuis, il était devenu pour eux une sorte d'animal familier. Vous lui demandez s'il souhaite vous accompagner dans votre quête, mais il n'a qu'un seul désir : s'en aller et revoir le monde extérieur. Vous lui demandez conseil, mais il vous répond qu'il ne sait pas grand-chose. Il vous recommande toutefois de vous montrer respectueux envers le passeur. Il vous signale également qu'il faut tirer le levier de droite dans le mur qui se trouve un peu plus loin, pour ouvrir la grille de fer à laquelle aboutit le passage. Il sait aussi que les clés du Hangar à Bateaux sont gardées par un homme et son chien. Vous vous serrez la main, vous quittez tous deux la pièce, et vous prenez chacun un chemin différent. Vous gagnez 1 point de CHANCE. Rendez-vous au **314**.

264

Il ne faut pas espérer enfoncer la porte : elle est en bois de chêne massif d'une douzaine de centimètres d'épaisseur ! Vous n'êtes parvenu qu'à vous faire mal au bras avec lequel vous maniez votre épée en vous livrant à cette tentative. Résultat : vous perdez 1 point d'HABILETÉ. Vous ne pourrez franchir la porte que si vous êtes en possession de la clé du Hangar à Bateaux (si vous avez cette clé, rendez-vous au **80**, et vous êtes bien sot de ne pas l'avoir utilisée dès le début). Dans le cas contraire, il vous faudra retourner à la rivière et prendre un autre chemin. Rendez-vous au **129**.

265

Vous cherchez à tâtons une porte dans le mur, et vous en trouvez une. Vous tournez hâtivement la poignée ; la porte s'ouvre ! Rendez-vous au **88**.

266

La mallette s'ouvre facilement et vous trouvez à l'intérieur un arc magnifique et une flèche d'argent. Sur le couvercle de la mallette, on peut lire cette inscription : « Celui qui donne le sommeil à ceux qui ne peuvent dormir... » Vous rangez l'arc, la flèche et la mallette dans votre sac à dos, et vous quittez la pièce, mais vous pouvez avant cela manger quelques Provisions. Vous gagnez par la même occasion 1 point de CHANCE. Rendez-vous au **237**.

267

Vous vous trouvez maintenant à un croisement.

Pour aller au nord	Rendez-vous au **312**
Pour aller au sud	Rendez-vous au **246**
Pour aller à l'ouest	Rendez-vous au **79**
Pour aller à l'est	Rendez-vous au **349**

268

Leur vocabulaire se limite à une série de grognements et de grommellements. Ils semblent n'avoir pas la moindre once d'intelligence. Pire encore, vos paroles ont simplement servi à attirer leur attention sur vous. Ils empoignent leurs armes, et il semble que vous allez devoir les combattre. Il y a cependant une faible chance pour que vous puissiez prendre la fuite par la porte que vous venez de franchir. Si vous voulez essayer de vous échapper par cette porte, rendez-vous au **13**

Si vous préférez vous résigner au combat, rendez-vous au **282**.

266 *La mallette s'ouvre facilement...*

269

Vous êtes de retour à la bifurcation, et vous prenez la direction de l'ouest. Rendez-vous au **225**.

270

Vous entrez dans la caverne et vous apercevez des dizaines de stalactites et de stalagmites, aux couleurs magnifiques, qui entourent l'endroit. De tous côtés, on entend tomber des gouttes d'eau, et l'ensemble donne l'impression d'une grotte magique. Au fond de la caverne, vous trouvez une paire de bottes qui semblent de fabrication récente. Qu'allez-vous faire ?

Continuer à explorer la caverne ?	Rendez-vous au **61**
Essayer les bottes ?	Rendez-vous au **394**
Quitter la caverne et revenir à la bifurcation ?	Rendez-vous au **375**

271

Le passage se rétrécit et aboutit quelques mètres plus loin à une porte. Si vous voulez franchir cette porte, rendez-vous au **336**. Si vous préférez retourner à la rivière, rendez-vous au **214**.

272

Il se calme, prend votre Or (n'oubliez pas de retrancher cette somme de votre pécule), et vous fait traverser la rivière dans sa barque en direction de la berge nord. Après avoir amarré son embarcation, il se dirige à pas lents vers un couloir qu'il emprunte, et disparaît. Rendez-vous au **7**.

273

Vous ne trouvez rien de bien utile en fouillant la pièce, sauf peut-être une mallette de bois qui contient cinq petits piquets taillés en pointe. Vous pouvez les emporter si vous le désirez, et quitter la pièce en franchissant la porte située dans le mur nord. Rendez-vous au **189**.

274

Vous quittez la caverne en suivant un couloir long et étroit. Quelques centaines de mètres plus loin, il aboutit à une porte de bois légèrement entrouverte. Avec précaution, vous l'entrebâillez un peu plus, et vous glissez la tête par l'ouverture pour voir ce qu'il y a dans la pièce. Vous apercevez un vieil homme assis seul à une table. Il joue aux cartes. Les cheveux et la barbe gris, il semble tout à fait inoffensif. Qu'allez-vous faire ?

Vous précipiter à l'intérieur, votre épée à la main, pour surprendre le vieil homme ?	Rendez-vous au **324**
Frapper à la porte et entrer, puis le saluer courtoisement ?	Rendez-vous au **356**
Vous mettre à quatre pattes et essayer de vous glisser dans la pièce sans vous faire remarquer ?	Rendez-vous au **98**

275

En vous dirigeant vers le second corps, vous heurtez du pied le troisième, par inadvertance. Alors, les yeux du cadavre s'ouvrent et le mort s'assied en essayant de vous griffer avec ses ongles longs et acérés.

Tentez votre Chance. Si vous êtes chanceux, la créature vous rate. Si vous êtes malchanceux, elle parvient à vous enfoncer ses ongles dans la jambe et vous perdez 1 point d'ENDURANCE. Rendez-vous alors au **230**.

276

Rendez-vous au **182**.

277

Vous vous trouvez dans un petit passage qui aboutit à un cul-de-sac quelques mètres plus loin. Vous pouvez, si vous le souhaitez, chercher un passage secret (et vous rendre au **146**), ou retourner au croisement. Dans ce dernier cas, vous avez le choix entre poursuivre votre chemin droit au nord (rendez-vous au **366**), ou tourner à l'ouest (rendez-vous au **11**).

278

Le passage aboutit bientôt à une porte fermée à clé. Vous collez votre oreille contre le panneau, mais vous n'entendez rien. Voulez-vous essayer d'enfoncer la porte ? Dans ce cas, rendez-vous au **156**. Si vous préférez rebrousser chemin et retourner au croisement, rendez-vous au **92**.

279

La créature qui vous fait face est un VAMPIRE ! Vous avez plusieurs moyens de l'affronter. Un

275 *Alors, les yeux du cadavre s'ouvrent, et le mort s'assied...*

crucifix le tiendra à distance, mais ne le tuera pas. Si vous en avez un dans votre sac à dos, vous pouvez l'utiliser pour atteindre la porte ouest et la franchir sans que le Vampire soit en mesure de vous en empêcher (rendez-vous alors au **380**). Si vous êtes résolu à tuer le Vampire, il vous faut le vaincre et lui transpercer le cœur avec un épieu. Si vous disposez d'un épieu et que vous décidez de le tuer, rendez-vous au **17**. Si vous ne possédez ni crucifix ni épieu, tirez votre épée, et rendez-vous au **333**.

280

Vous êtes de retour à la bifurcation, et, cette fois, vous prenez à l'est. Le passage tourne ensuite vers le nord, au bout de quelques mètres. Rendez-vous au **311**.

281

Le passage devient si étroit que vous ne pouvez plus vous tenir debout. Vous poursuivez donc votre chemin à quatre pattes. Mais finalement, vous ne pouvez plus avancer du tout, et vous vous résignez à rebrousser chemin vers la bifurcation. Rendez-vous au **10**.

282

Les quatre créatures qui avancent vers vous d'un pas traînant sont des ZOMBIES complètement décervelés. Leur regard vide indique que leur volonté est sans doute contrôlée par une puissance extérieure. Vous êtes trop étourdi pour avoir des pensées claires, mais il vous faut agir vite. Un premier Zombie se tient devant vous et brandit sa massue. Il ne vous reste plus qu'à le combattre.

ZOMBIE HABILETÉ : 7 ENDURANCE : 6

Si vous terrassez le premier Zombie, prenez 2 points de CHANCE et affrontez les trois autres (vous les combattrez un par un) :

	HABILETÉ	ENDURANCE
ZOMBIE avec faux	6	6
ZOMBIE avec pioche	6	6
ZOMBIE avec hache	6	5

Si vous êtes vainqueur, rendez-vous au **115.**

283

Vous êtes de retour à la bifurcation et vous prenez la direction de l'ouest. Rendez-vous au **251**.

284

« Encore vous ! » s'exclame le Maître du Labyrinthe, visiblement agacé d'être à nouveau dérangé, « vous m'empêchez de me concentrer. Allez-vous-en ! » Vous commencez à lui expliquer que vous êtes revenu là par erreur mais vous avez à peine le temps d'ouvrir la bouche qu'un regard glacial du vieil homme vous contraint au silence. Vous décidez de le laisser seul. Si vous voulez sortir par la porte ouest, rendez-vous au **46**. Si vous préférez la porte sud, rendez-vous au **392.**

285

Du côté droit du passage (c'est-à-dire à l'est), il y a une porte. Vous collez votre oreille contre le trou de la serrure, et vous entendez à l'intérieur un homme appeler à l'aide. Décidez-vous d'ouvrir la porte (rendez-vous au **213**), ou de poursuivre votre chemin (rendez-vous au **314**) ?

286

L'escalier est taillé dans le roc et une vingtaine de marches descendent vers un passage qui vous mène à une grande salle ouverte. Il y règne une odeur de chair putréfiée. L'odeur est si nauséabonde que vous êtes tenté de revenir sur vos pas. Trois corps sont étendus sur le sol. Vous pouvez fouiller les corps si vous le désirez, ou traverser la salle sur la pointe des pieds. Qu'allez-vous faire ?

Fouiller le premier cadavre ?	Rendez-vous au **294**
Fouiller le deuxième cadavre ?	Rendez-vous au **275**
Fouiller le troisième cadavre ?	Rendez-vous au **148**
Traverser la salle sur la pointe des pieds ?	Rendez-vous au **107**

287

Le passage vous mène au bout d'une certaine distance au pied d'un escalier taillé dans le roc. Vous en montez les marches, et vous arrivez à une porte de bois aux gonds rouillés. Vous écoutez à la porte et vous entendez des grattements. Vous tournez la poignée et la porte s'ouvre en grinçant. Vous entrez alors dans une pièce nue au sol jonché d'ossements. Il y a une autre porte dans le mur d'en face. Trois RATS GÉANTS sont en train de ronger des os. Ils s'interrompent et lèvent les yeux vers vous lorsque vous entrez. Chacun d'eux est long d'au moins un mètre, et leur pelage écorché par endroits témoigne de leur goût pour

287 *Trois Rats Géants sont en train de ronger des os.*

la bagarre. Si vous voulez traverser la pièce, il vous faudra les affronter, car il ne fait pas de doute qu'ils voient en vous un mets de choix. Si au cours de votre aventure vous vous êtes procuré du fromage, rendez-vous au **32**. Sinon, rendez-vous au **309**.

288

Rendez-vous au **182**.

289

Vous regardez désespérément autour de vous, mais vous ne voyez rien qui puisse vous aider. Soudain, votre regard s'arrête sur le jeu de cartes qu'il était en train de manipuler lorsque vous êtes entré, et vous vous rappelez certaines rumeurs qui couraient parmi les villageois selon lesquelles « le pouvoir du Sorcier lui vient de ses cartes ». Le Sorcier remarque que vous les observez et vous vous précipitez tous deux sur le jeu de cartes. Vous arrivez à la table le premier. « N'y touchez pas ! hurle-t-il, ou ma colère sera terrible ! » Mais vous vous emparez des cartes et vous en brûlez une avec votre lanterne. Le Sorcier pousse des cris sauvages, puis il vous supplie de les lui rendre. Vous continuez cependant à brûler les cartes une par une, et tandis que vous y mettez le feu, la taille du Sorcier diminue. Lorsque la dernière carte s'envole en fumée, il n'est plus, face à vous, qu'un homme brisé. « Mon livre ! » s'écrie-t-il d'une voix rauque ; il tente alors d'ouvrir la porte à l'autre bout de la pièce. Mais vous vous précipitez, votre épée à la main, et vous bondissez sur lui. Menez le combat à son terme :

SORCIER HABILETÉ : 7 ENDURANCE : 12

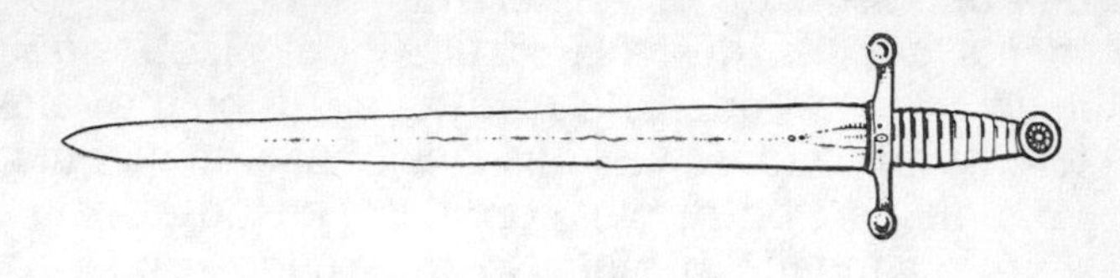

Si vous êtes vainqueur, rendez-vous au **396**.

290

Rendez-vous au **198**.

291

Vous vous trouvez au milieu d'un couloir est-ouest. À l'est, il se termine en un cul-de-sac que vous pouvez examiner en vous rendant au **315**. À l'ouest, il y a une bifurcation qui vous est familière. Si vous voulez vous y rendre, allez au **52**. Un autre passage – très court – part vers le nord et aboutit à une haute porte de bois. Si vous préférez essayer de franchir cette porte, rendez-vous au **227**.

292

Au nord, le passage aboutit à une massive porte de bois. Vous écoutez à la porte, mais vous n'entendez rien. Il semble qu'il n'y ait d'autre choix que d'ouvrir cette porte et de pénétrer dans la pièce qui se trouve derrière. C'est ce que vous faites et vous découvrez une grande pièce carrée. Vous promenez votre lanterne tout autour et vous constatez qu'elle est vide ; vous apercevez cependant des peintures murales. Soudain, votre lanterne s'éteint. Vous essayez de la rallumer, mais sans succès. Dans les ténèbres, vous entendez une série de bruits terrifiants, des mugissements, des cris, des vociférations, des plaintes qui augmentent d'intensité et atteignent bientôt un tel niveau sonore que vous êtes obligé de plaquer vos mains contre vos oreilles. Disposez-vous d'une chandelle bleue ? Si oui, rendez-vous au **239**. Sinon, rendez-vous au **40**.

293

Vous êtes de retour à la bifurcation, et vous prenez la direction de l'est. Rendez-vous au **113**.

294

Vous trouvez 5 Pièces d'Or dans les poches du cadavre. Inscrivez-les sur votre *Feuille d'Aventure* et prenez un point de CHANCE pour cette découverte. Vous avez maintenant plusieurs possibilités :

Fouiller le deuxième corps	Rendez-vous au **275**
Fouiller le troisième corps	Rendez-vous au **148**
Traverser la pièce sur la pointe des pieds en direction du nord	Rendez-vous au **107**

295

Vous ne trouvez pas de passage secret. En revanche, vos investigations ont attiré une créature ; vous entendez en effet des pas, dans le couloir, qui viennent vers vous.

Pour savoir quel genre de monstre s'approche

ainsi, rendez-vous au **161**. Il vous faudra le combattre et si vous êtes vainqueur, vous pourrez poursuivre votre chemin le long du passage en vous rendant au **48**. Notez bien ce chiffre « **48** », car lorsque vous serez au **161**, il ne vous sera donné aucune indication concernant votre prochaine étape en cas de victoire, et si vous ne vous en souvenez pas, vous ne saurez plus où aller.

296

La boîte contient un petit livre à la reliure de cuir qui porte le titre suivant : *Comment le Dragon Fabrique et Souffle le Feu.* Vous en ouvrez les pages et vous commencez à lire. Par chance, le livre est écrit dans votre langue, et sans doute les FARFADETS étaient-ils incapables de comprendre la valeur de cet ouvrage, sinon, ils l'auraient certainement gardé avec plus de soin.

Le livre a été écrit à la main, d'une écriture minuscule, et l'auteur se nomme Farrigo Di Maggio. Il expose dans ces pages l'œuvre de sa vie, c'est-à-dire la découverte d'une formule magique qui permet de neutraliser les Dragons et leur souffle ardent. Les lignes que vous lisez vous apprennent que lorsque Farrigo parvint à mettre parfaitement au point cette formule, il vivait les dernières années de sa vie ; devenu alors trop vieux pour faire lui-même usage de sa trouvaille, il se contenta de la consigner dans ce livre qu'il enferma dans un coffre. Mais, effrayé à l'idée que l'ouvrage pût tomber en de mauvaises mains, il cacha soigneusement ce coffre dans les profondeurs de la Montagne au Sommet de Feu. Voici ce qu'on peut lire à la dernière page du livre :

Toi qui as découvert ce livre, c'est toute l'oeuvre de ma vie que tu tiens entre les mains. Du pouvoir que j'y révèle, tu peux faire usage à ta guise, mais prends garde de ne te point détourner de sa destination première car alors c'est le mal lui-même qui te consumerait et tu périrais par le feu jailli de tes propres mains. Souviens-toi ; c'est seulement lorsque le dragon dirigera vers toi son souffle enflammé que tu seras légitimé à lever la main en prononçant ces paroles :

Ekil Erif
Ekam Erif
Erif Erif
Di Maggio

Vous répétez ces quelques mots lentement et à voix basse. Soudain, la page semble projeter une lueur et lorsque, au bout d'un moment, cette lueur s'évanouit, toute écriture a disparu du livre. Vous vous répétez dans votre tête la formule magique afin d'être sûr de vous en souvenir, puis vous quittez la pièce. Rendez-vous au **42.**

297

Vous êtes dans un couloir est-ouest qui se termine à chaque extrémité par un croisement en forme de T. Si vous choisissez d'aller vers l'ouest, rendez-vous au **150.** Si vous préférez l'est, rendez-vous au **256.**

298

Des flaques d'eau ont rendu le pont glissant. Soudain, vous glissez sur une plaque de mousse humide qui recouvre le bois. Lancez un dé. Si vous faites un 6, vous tombez dans la rivière, et il ne vous reste plus qu'à nager vers la berge la plus proche. Rendez-vous alors au **86**. Si vous faites un autre chiffre, vous avez eu de la chance, et vous parvenez à rattraper votre équilibre. Vous pouvez alors atteindre la rive nord. Rendez-vous au **7.**

299

Le passage mène vers l'est pendant plusieurs mètres, puis tourne vers le nord. Vous marchez longtemps dans cette dernière direction et vous pouvez, si vous le désirez, essayer de découvrir des passages secrets au long de votre chemin. Dans ce cas, rendez-vous au **260.** Si vous préférez continuer vers le nord sans vous arrêter, rendez-vous au **359**.

300

Dans le mur est du passage, il y a une autre porte, métallique cette fois. En écoutant à cette nouvelle porte, vous entendez des hurlements provoqués sans doute par quelque séance de torture. Si vous voulez tenter d'ouvrir la porte, rendez-vous au **102**. Si vous préférez poursuivre votre chemin le long du couloir, rendez-vous au **303**.

301

À votre gauche, du côté ouest du passage, il y a une porte de bois brut grossièrement taillé. Vous tendez l'oreille et vous percevez un bruit qui pourrait être le ronflement d'une quelconque créature. Désirez-vous ouvrir cette porte ? Rendez-vous alors au **82**. Si vous préférez continuer vers le nord, rendez-vous au **208.**

302

Rendez-vous au **198.**

303

Vous parvenez à l'extrémité du passage qui aboutit alors à un autre couloir est-ouest. Mais il y a une herse de fer en travers de votre chemin et il ne faut pas espérer la forcer. Deux leviers dépassent du mur à votre droite, et selon toute vraisemblance, l'un de ces leviers commande l'ouverture de la herse. Allez-vous tirer sur le levier de droite ou sur celui de gauche ?

Levier droit	Rendez-vous au **128**
Levier gauche	Rendez-vous au **243**

304

Le vieil homme est furieux que vous ayez tué son chien ! Ses yeux deviennent tout blancs sous

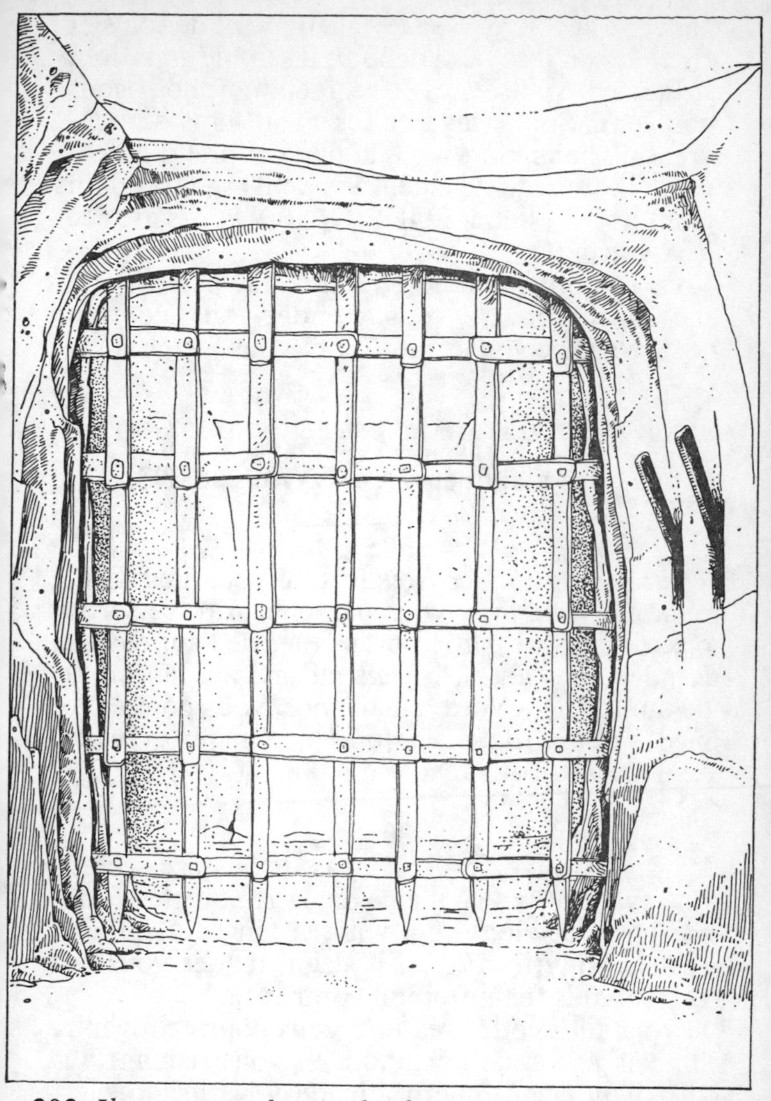

303 *Il y a une herse de fer en travers de votre chemin. Et il ne faut pas espérer la forcer.*

l'effet de la colère. Il se lève lentement de son siège, et lorsqu'il se tient debout, il semble grandir et gagner en robustesse. Il se métamorphose sous vos yeux. Son visage et ses avant-bras se couvrent de poils. Son nez s'allonge et prend la forme d'un museau de chien. Ses dents sont soudain pointues. C'est un LOUP-GAROU, il s'avance vers vous.
Vous ne pouvez prendre la *fuite* que par la porte sud située derrière vous. Rendez-vous alors au **66**. Si vous ne voulez pas fuir, il vous faut le combattre :

LOUP-GAROU HABILETÉ : 8 ENDURANCE : 8

Si vous êtes vainqueur, rendez-vous au **203.**

305

Tentez votre Chance trois fois. Si vous êtes chanceux par trois fois, vous parvenez à traverser la pièce et à sortir par la porte située de l'autre côté. Rendez-vous au **162**. Mais au premier lancer de dé qui révélera votre malchance, vous poserez le pied sur une dalle en forme de main et vous devrez alors vous rendre au **108.**

306

Vous ne trouvez toujours pas de passage secret. En revanche, vous apercevez la silhouette d'une créature qui vient vers vous le long du couloir. Pour découvrir de quoi il s'agit, rendez-vous au **161** en vous tenant prêt à combattre.
Si vous tuez cette créature, vous pourrez revenir sur vos pas dans le couloir en vous rendant au **291.** Notez ce numéro afin de vous le rappeler après le combat.

307

Le passage tourne en tous sens puis aboutit finalement à une solide porte de fer. Vous écoutez, mais vous n'entendez rien. Vous pouvez essayer d'ouvrir la porte (rendez-vous au **134**), ou choisir de retourner à la bifurcation (et vous rendre au **87**).

308

Vous vous trouvez à un croisement. Il y a un passage qui mène vers l'ouest pendant quelques mètres, puis qui tourne au nord. Le chemin qui part vers le nord aboutit à une porte. À l'est, il y a un troisième couloir qui, plus loin, s'oriente au sud. Enfin, le dernier passage mène droit vers le sud aussi loin que porte la vue.

Si vous allez à l'ouest	Rendez-vous au **187**
Si vous allez au nord	Rendez-vous au **54**
Si vous allez au sud	Rendez-vous au **160**
Si vous allez à l'est	Rendez-vous au **354**

309

Vous tirez votre épée et vous attendez l'assaut des RATS. Alors que leur chef s'apprête à bondir, vous poussez un cri retentissant, et vous vous précipitez en avant. Votre cri a effrayé les deux autres rats et ils reculent de quelques pas. Affrontez chaque RAT un par un :

	HABILETÉ	ENDURANCE
Premier RAT	5	4
Second RAT	6	3
Troisième RAT	5	5

Si vous êtes vainqueur, vous pouvez partir par la porte située dans le mur nord. Rendez-vous au **124**.

310

Il y a quelque chose qui ne va pas très bien. Vous lui avez porté un rude coup et il semble ne pas s'en être aperçu ! Vous en déduisez que cette créature est invulnérable aux armes habituelles. Vous pouvez alors choisir une autre arme. Prenez-la avec vous ou conservez l'ancienne si vous n'en avez pas d'autre, et rendez-vous au **211**.

311

Le passage aboutit à une porte contre laquelle vous collez votre oreille, mais vous n'entendez rien. Vous tournez la poignée et la porte s'ouvre sur une grande pièce carrée. La salle est dépourvue de tout ameublement, et le sol est recouvert d'une mosaïque de dalles. La plupart de ces dalles sont soit en forme de main, soit en forme d'étoile. Il n'y a qu'une seule autre issue à la pièce : une porte dans le mur opposé. Que choisissez-vous de faire ?

Vous traversez la pièce pour atteindre la porte ?	Rendez-vous au **305**
Vous traversez la pièce en prenant bien soin de ne marcher que sur les dalles en forme d'étoile ?	Rendez-vous au **178**
Vous traversez la pièce en ne marchant que sur les dalles en forme de main ?	Rendez-vous au **108**

311 *La salle est dépourvue de tout ameublement, et le sol est recouvert d'une mosaïque de dalles.*

312

Vous suivez un passage long et étroit qui est orienté au nord, puis tourne à l'ouest pour revenir une nouvelle fois au nord un peu plus loin, et vous arrivez finalement à un croisement. Rendez-vous au **308**.

313

Vous examinez le corps. Le pauvre malheureux a de toute évidence subi le même assaut que vous, mais son crâne moins robuste a éclaté sous le coup de massue. Il est vêtu d'une cuirasse semblable à la vôtre, tient un bouclier de bois dans une main et une épée à la lame d'acier dans l'autre. Ses poches contiennent 8 Pièces d'Or et un crucifix en argent est accroché à son cou.
Vous pouvez emporter deux de ces objets au choix. Inscrivez-les sur votre Liste d'Équipement et rendez-vous au **221**. Prenez également 1 point de CHANCE et un autre d'HABILETÉ.

314

Un peu plus loin, vous découvrez une porte dans le mur est du passage. Vous tendez l'oreille, mais vous n'entendez pas le moindre bruit. Désirez-vous ouvrir la porte pour voir ce qu'il y a derrière ? Si oui, rendez-vous au **223**. Si vous préférez au contraire poursuivre votre chemin le long du passage, rendez-vous au **300**.

315

Apparemment, il n'y a aucun passage secret dans le cul-de-sac, mais vous pouvez toujours vous en assurer en vous rendant au **306**. Si vous ne voulez pas pousser plus loin vos investigations pour tenter de découvrir une issue cachée, rendez-vous au **291**.

316

L'eau est glaciale. Vous vous mettez à nager, et vous remarquez que vos mouvements attirent vers vous une « turbulence » qui se déplace à la surface de l'eau. Votre force et votre endurance seront-elles suffisantes pour vous permettre de tenir bon ? Lancez deux dés. Si le chiffre obtenu est inférieur ou égal à vos points d'ENDURANCE, vous pensez que vous pouvez réussir à traverser la rivière, et vous nagez de toutes vos forces en direction de la berge nord. Rendez-vous au **151**.

Si les dés vous donnent un chiffre supérieur à vos points d'ENDURANCE, vous préférez ne pas prendre de risques, et vous retournez à la berge sud. Rendez-vous alors au **218**. Une fois parvenu à la rive sud, vous pourrez prendre un Repas.

317

Vous coupez la corde à laquelle est pendu le nain. Comme vous le pensiez, il est bel et bien mort. En fouillant les poches des deux Lutins, vous trouvez un gros morceau de Fromage à l'odeur alléchante. Si vous voulez l'emporter, rangez-le dans votre sac à dos, et quittez la pièce en prenant la direction du nord. Rendez-vous au **303**.

318

Le passage se termine en cul-de-sac. Vous pouvez ou bien retourner au croisement (rendez-vous au **85**), ou bien essayer de découvrir un passage secret (rendez-vous au **228**).

319

Pour découvrir le secret du second objet que vous avez ramassé, rendez-vous au **221**, et voyez de quoi il retourne. Si vous savez déjà tout des deux objets, rendez-vous au **81.**

320

Vous quittez la pièce en courant et vous claquez la porte derrière vous. Vous prenez le couloir en direction du nord, et vous passez devant une porte semblable un peu plus loin. Rendez-vous au **363.**

321

Rendez-vous au **169.**

322

Tous les tiroirs sont pleins de clous, de punaises et de divers objets sans grande importance. Vous trouvez toutefois, dans l'un des tiroirs, une clé en cuivre qui porte le numéro *66*. Voilà qui semble intéressant. Vous avez le droit de prendre cette clé, mais en échange, il va vous falloir abandonner une pièce de votre équipement. Si vous prenez cette clé, modifiez alors votre Liste d'Équipement en conséquence. Tandis que vous examiniez les tiroirs, le bruit en provenance du mur nord s'est intensifié. Vous allez à la porte nord pour voir de quoi il s'agit. Rendez-vous au **96.**

323

Quelques mètres plus loin, vous parvenez à une autre bifurcation. Vous pouvez aller soit au nord (rendez-vous au **8**), soit à l'est (rendez-vous au **255**).

324

Lorsque vous faites irruption dans la pièce, le vieil homme se tourne vers vous sans être le moins du monde impressionné par votre intrusion. Et soudain, il disparaît ! Il reparaît un instant plus tard près du mur derrière vous, et lorsque vous vous retournez pour lui faire face, il éclate de rire. Et ce n'est pas le frêle gloussement d'un vieillard qui sort de sa gorge, mais le rire tonitruant d'un homme dans la force de l'âge. À nouveau, il disparaît, puis reparaît dans un autre coin de la pièce en vous lançant un regard de défi, et en riant de plus belle, d'un rire sardonique et moqueur. Vous pivotez vers lui juste à temps pour le voir disparaître une nouvelle fois. Lorsqu'il reparaît, il flotte en l'air au-dessus de votre tête et descend lentement sur vous en planant. L'éclat intense de son regard vous fait frissonner tandis qu'il approche. Rendez-vous au **358.**

325

Vous mettez le casque sur votre tête. Il vous va bien. Un influx bienfaisant se répand dans votre corps, et vous emplit d'une force et d'une confiance en vous que vous n'avez jamais ressenties auparavant. Le casque possède un pouvoir magique, et aussi longtemps que vous le porterez dans vos combats, il vous donnera droit à un point supplémentaire que vous pourrez ajouter aux chiffres obtenus aux dés lorsque vous déterminerez votre Force d'Attaque. Inscrivez-le sur votre Liste d'Équipement, et revenez à la bifurcation (rendez-vous au **87**).

326

Vous entrez dans une petite pièce aux murs de roc. Une clé d'or est accrochée au mur du fond. Il semble n'y avoir aucune issue à la pièce. Voulez-vous aller chercher cette clé (rendez-vous alors au **35**) ou préférez-vous la laisser là et revenir à la bifurcation (rendez-vous au **229**) ?

327

Le corps allongé sur le sol vieillit à vue d'œil. Le visage de la créature paraît cinquante ans, puis quatre-vingt-dix ; en quelques instants, il semble avoir largement dépassé la centaine d'années. Sa peau se putréfie et ses yeux se décomposent tandis que vous l'observez. Vous remarquez alors un mouvement à hauteur de la poitrine du vampire et une petite tête noire jaillit au travers du thorax, parmi les restes décomposés du cadavre. On dirait tout d'abord une musaraigne, mais l'animal apparaît bientôt dans son entier et déploie des ailes : vous vous apercevez alors qu'il s'agit d'une chauve-souris. Vous faites un geste vers elle, mais elle s'envole aussitôt et disparaît dans l'obscurité.

Vous fouillez rapidement la pièce (rappelez-vous qu'il y a plusieurs autres cercueils en cet endroit !) et vous trouvez 30 Pièces d'Or, un livre et un morceau de bois en forme de Y. Vous pouvez

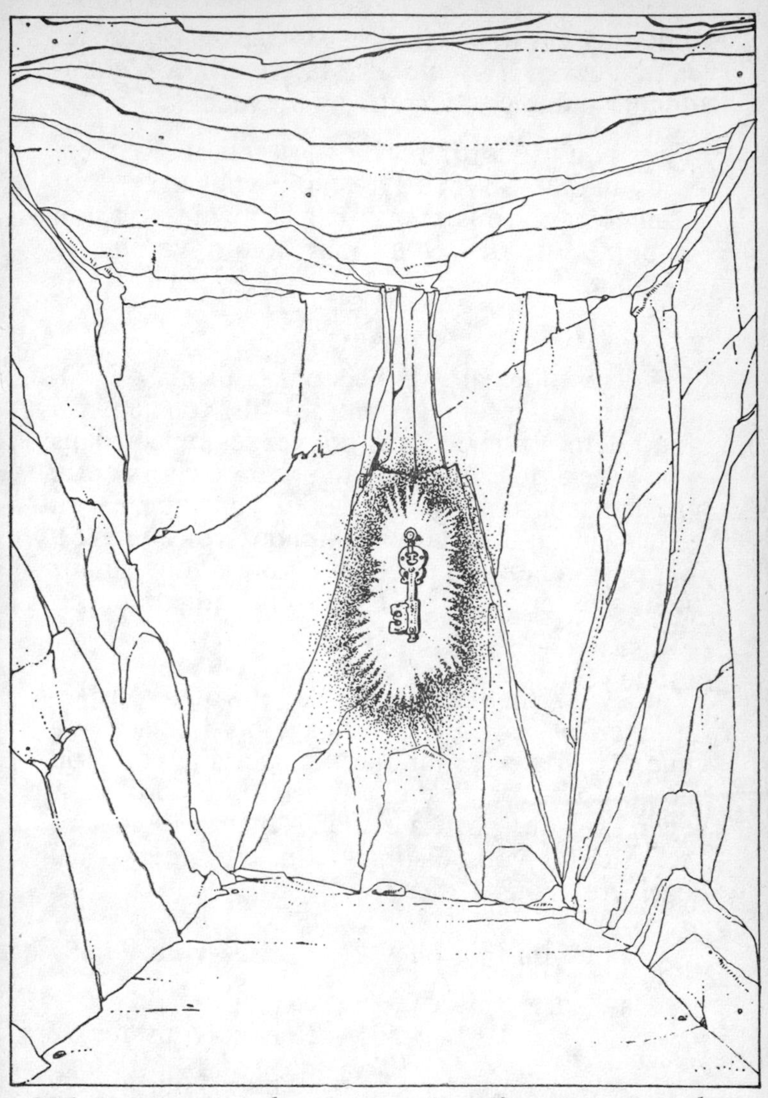

326 *Vous entrez dans une petite pièce aux murs de roc. Une clé d'or est accrochée au mur du fond.*

emporter ces objets (inscrivez-les dans ce cas sur votre *Feuille d'Aventure*) à la condition d'abandonner une pièce de votre équipement.

Vous pouvez sortir par la porte ouest. Rendez-vous au **380.** Si vous avez faim, vous avez droit à un Repas ; vous prenez par la même occasion 3 points de CHANCE pour avoir vaincu le Vampire.

328

Les deux morceaux de bois ont la forme d'un Y et sont tout propres, comme s'ils venaient du fond d'une rivière. Vous pouvez les ranger dans votre sac à dos ; ensuite, vous avez le choix entre partir par la porte nord (rendez-vous au **73**), ou rester et examiner la corde (rendez-vous au **125**). Si vous prenez les morceaux de bois, vous devrez vous séparer d'une pièce de votre équipement.

329

Vous vous mettez en marche, et vous vous retrouvez au milieu d'un passage nord-sud. Il y a une porte dans le mur ouest et, face à la porte, un couloir part vers l'est. En direction du nord, vous apercevez une porte à quelques mètres de distance. Au sud vous distinguez un croisement. Où déciderez-vous d'aller ?

À la porte du mur ouest ?	Rendez-vous au **157**
À la porte située au nord ?	Rendez-vous au **392**
À l'est ?	Rendez-vous au **299**
Au sud ?	Rendez-vous au **238**

330

Les tonneaux contiennent un liquide de couleur marron clair. Vous le reniflez. On dirait du rhum. Vous le goûtez. Il s'agit bien de rhum, en effet. Vous joignez vos mains en forme de coupe, vous y recueillez un peu du breuvage et vous en buvez une gorgée. Sacrebleu, c'est bon ! Vous regagnez 6 points d'ENDURANCE et 1 point de CHANCE. Rendez-vous maintenant au **81**.

331

La créature a la taille d'un homme, mais ses longs bras semblent très puissants. Menez cette bataille :

TROLL HABILETÉ : 8 ENDURANCE : 8

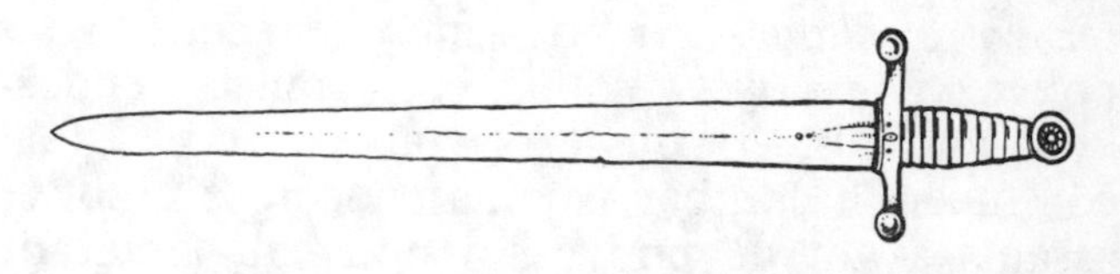

Si vous êtes vainqueur, vous pouvez partir en direction du nord (rendez-vous au **287**).

332

Vous vous trouvez devant une porte qui barre le passage à l'extrémité d'un couloir est-ouest. Pour franchir la porte, rendez-vous au **329**. Vers l'ouest, le passage tourne au nord. Pour prendre cette direction, rendez-vous au **4**.

333

Vous brandissez votre épée en direction de la créature, mais celle-ci tend le bras et attrape la lame dans sa main ! Sa force est si grande que votre épée en devient presque totalement inefficace. Vous êtes saisi de panique en vous en rendant compte, mais il faut poursuivre le combat.

VAMPIRE HABILETÉ : 10 ENDURANCE : 10

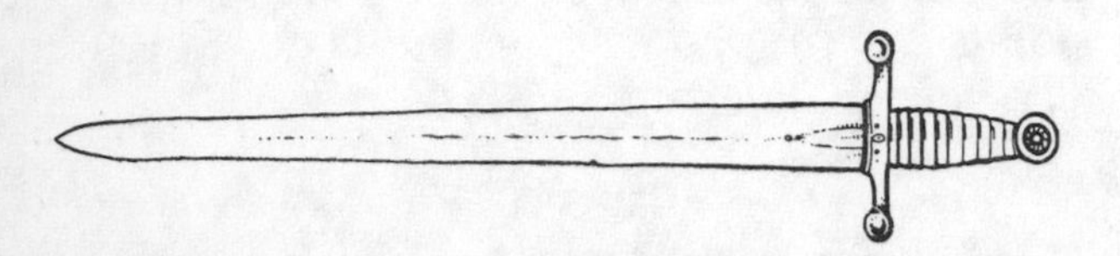

Si vous terrassez le vampire, rendez-vous au **327**.

Si vous voulez essayer de prendre la *fuite*, vous ne pourrez le faire qu'après avoir mené six assauts et seulement si vous avez de la chance. *Tentez votre Chance.* Si vous êtes chanceux, vous pouvez vous *enfuir* par la porte ouest (rendez-vous au **380**). Si vous êtes malchanceux, il faut continuer le combat pendant encore six autres assauts avant de pouvoir à nouveau tenter de vous *échapper*. Si le chiffre que vous obtenez en lançant les dés est de 11 ou 12 et que vous êtes malchanceux (c'est-à-dire si votre total de CHANCE est inférieur à 11), rendez-vous dans ce cas au **224**.

334

Tandis que vous lui parlez, le vieil homme se lève.

« – Mon Dieu, mon Dieu, un étranger ! s'exclame-t-il, mais entrez donc, cher Monsieur, le magasin est ouvert. Que puis-je vous proposer ? Qu'aimeriez-vous acheter ? Qu'est-ce qui vous ferait plaisir ? Dans quelle direction allez-vous ? Au nord ? À l'ouest ? »

Vous racontez alors votre histoire au vieil homme. Il vous écoute avec attention, puis répond :
« – Je vois, je vois, dans ce cas, vous allez sans nul doute avoir besoin d'une de mes Chandelles Bleues. Ce sera 20 Pièces d'Or, s'il vous plaît. En espèces, si ça ne vous dérange pas. Je sais, je sais, c'est cher, mais tout est cher de nos jours, n'est-il pas vrai ? Il n'y a pas si longtemps, elles valaient 5 Pièces d'Or, mais vous savez à quel point le prix de la cire a augmenté depuis la Longue et Sombre Nuit ; ah ! mais non, suis-je bête, vous n'êtes pas au courant, puisque vous ne venez pas de là-bas ; de toute façon, croyez-moi, je peux vous garantir que le prix en vaut la chandelle, vous pourriez bien en avoir besoin plus tôt que vous ne croyez... »

Si vous décidez d'acheter une chandelle, payez-en le prix et inscrivez-la sur votre Liste d'Équipement.

Peu à peu, le bavardage du vieil homme vous fatigue ; aussi quittez-vous la pièce pour aller au nord. Rendez-vous au **292.**

335

Rendez-vous au **182.**

336

Vous vous trouvez dans une petite pièce où règne une odeur repoussante. Vous remarquez qu'il y a deux portes : une à l'ouest et une autre au sud, derrière vous. Les rares meubles disséminés dans la pièce ont été fabriqués avec des morceaux de vieux bateaux. Il semble qu'il n'y ait rien de bien intéressant dans cet endroit, à l'exception d'un trousseau de clés accroché au mur. Un vieil homme vêtu de haillons est endormi sur un « banc » qui n'est, en fait, qu'une barque coupée en deux, et ronfle bruyamment. À côté de lui, un chien au poil marron, à l'air méchant, les yeux rouges et les dents noires, vous fixe d'un regard soupçonneux. Vous l'avez réveillé en entrant. Il émet du fond de sa gorge un grognement peu amical. Qu'allez-vous faire ?

Sortir sur la pointe des pieds par la porte sud ? Rendez-vous au **66**

Frapper à la porte derrière vous et toussoter pour réveiller le vieil homme ? Rendez-vous au **172**

Bondir dans la pièce en brandissant votre épée pour attaquer le chien ? Rendez-vous au **249**

337

Vous ne découvrez aucun passage secret, mais alors que vous sondez les murs vous entendez un déclic. Vous vous sentez soudain tout étourdi et vous vous écroulez sur le sol. Lorsque vous reprenez connaissance, vous ne reconnaissez pas le décor autour de vous. Rendez-vous au **267.**

338

Vous approchez prudemment de la statue. Soudain, vous faites volte-face en entendant un bruit de pas derrière vous, mais ce n'est qu'un rat. Vous essayez de retirer la pierre précieuse, mais

336 *Un vieil homme vêtu de haillons est endormi sur un banc...*

elle est solidement sertie. Vous tentez de l'enlever avec la pointe de votre épée et, tandis que vous vous efforcez d'arriver à vos fins, vous entendez un grincement qui ne présage rien de bon. À votre grande terreur, la statue se met à bouger ! Vous faites un bond en arrière, et vous tirez votre épée. Le CYCLOPE DE FER tourne la tête vers vous et descend de son piédestal. Il faut vous battre !

CYCLOPE DE FER	HABILETÉ : 10	ENDURANCE : 10

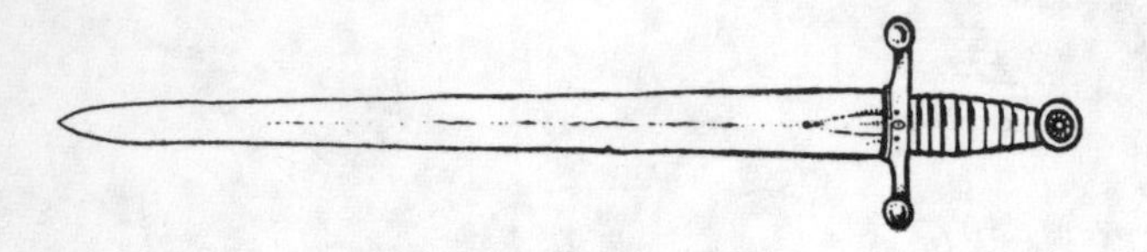

Si vous êtes vainqueur, rendez-vous au **75.** Si vous voulez prendre la *fuite* pendant le combat, vous pouvez le faire en repassant la porte et en retournant à la bifurcation. Rendez-vous au **93.**

339

À l'évidence, la serrure n'est guère solide ; elle saute immédiatement en effet, et atterrit quelques mètres plus loin. Vous soulevez le lourd couvercle et vos yeux s'ouvrent tout grands en voyant l'éclat d'or qui en jaillit. Il y a un bon nombre de Pièces d'Or, à l'intérieur. Dans un coin est posée une petite bouteille noire munie d'un bouchon de verre qui la clôt hermétiquement. La bouteille contient un liquide dont vous ignorez la nature. Vous trouvez également dans le coffre un gant de soie noire. Mais tandis que vous admirez ce trésor, vous entendez un déclic et aussitôt, vous grimacez de douleur car une fléchette vient de vous atteindre à l'estomac. Lancez un dé et ôtez le chiffre obtenu de vos points d'ENDURANCE pour savoir quel est exactement l'effet du poison dont la fléchette est imprégnée. Si vous êtes toujours vivant, rendez-vous au **201**.

340

Vous tentez de lutter contre le regard du tableau en utilisant divers objets de votre Liste d'Équipement, mais aucun d'entre eux ne se révèle efficace. Vous avez alors la possibilité d'essayer l'une des méthodes suivantes :

Lacérer la toile du tableau avec votre épée	Rendez-vous au **388**
Brandir l'Œil du Cyclope devant le portrait	Rendez-vous au **31**
Le transpercer à l'aide d'un épieu	Rendez-vous au **241**
Lui jeter un morceau de Fromage	Rendez-vous au **45**

341

Le vieil homme vous lance un regard courroucé lorsque vous entrez dans la pièce. Vous pouvez, si vous le souhaitez, repartir aussitôt après vous être excusé en disant que vous vous êtes perdu.

Dans ce cas, vous sortez soit par la porte ouest (rendez-vous au **46**), soit par la porte sud (rendez-vous au **392**). Vous pouvez également choisir de rester et de parler au vieil homme. Dans cette hypothèse, vous avez le choix entre lui parler d'une manière aimable (rendez-vous au **220**) ou exiger d'un ton péremptoire qu'il réponde à vos questions (rendez-vous alors au **191**).

342

Le RAT-GAROU s'effondre sur le sol. Vous fouillez son corps et vous trouvez sur lui 2 Pièces d'Or, le prix de sa dernière traversée. Vous le maudissez d'avoir essayé de vous escroquer. Ajoutez les deux Pièces d'Or à votre pécule, et passez de l'autre côté de la rivière en ramant vous-même. Vous gagnez 2 points de CHANCE. Vous amarrez l'embarcation à la rive nord et vous jetez un coup d'œil vers le cadavre du Rat. Le corps a disparu ! Rendez-vous au **7.**

343

La porte s'ouvre à la volée et vous tombez en avant, tête la première. Vous avez soudain un coup au cœur en réalisant que vous ne tombez pas sur le sol, mais dans une fosse. Par chance, celle-ci n'est pas très profonde et vous atterrissez moins de deux mètres plus bas. Vous perdez 1 point d'ENDURANCE en raison des contusions provoquées par cette chute, vous vous hissez hors de la fosse, et vous sortez de la pièce par la porte en prenant la direction de l'ouest. Rendez-vous au **92.**

344

Vous rengainez votre épée dans son fourreau et vous avancez vers le bord de la rivière. Pouvez-vous y nager sans risque ? Il n'y a pas d'autre moyen d'atteindre la rive nord ; apparemment, aucun danger immédiat ne semble devoir vous menacer, ni dans l'eau ni sur la berge. Vous remarquez soudain l'éclat d'une épée qui repose au fond de l'eau à quelques pas de vous. Il vous est facile de la ramasser en pataugeant quelque peu dans la rivière. Cette épée est légère, beaucoup plus maniable que la vôtre et sa lame est bien effilée. Cette arme magnifique vous donnera 1 point d'HABILETÉ supplémentaire chaque fois que vous l'utiliserez. Inscrivez-la sur votre Liste d'Équipement. Bientôt, une voix mystérieuse qui semble vous parler à l'intérieur de vous-même vous conseille de jeter votre ancienne épée dans la rivière. Si vous suivez ce conseil, rendez-vous au **56.** Si, au contraire, vous préférez conserver les deux épées, rendez-vous au **153.**

345

Vous suivez le passage qui mène vers l'est sur une distance de plusieurs mètres. Le couloir tourne alors au nord. Bientôt, vous arrivez à une autre bifurcation qui vous laisse le choix entre continuer tout droit (rendez-vous au **381**), ou prendre à gauche un passage orienté à l'est, qui plus loin oblique vers le nord (rendez-vous au **311**).

346

Les cartes peuvent être avec vous ou contre vous. Vous avez deux possibilités.
Vous pouvez d'une part vous en remettre entièrement aux cartes. Dans ce cas, lancez deux dés. Si le chiffre obtenu est pair, vous perdez autant de Pièces d'Or ou toutes vos pièces si vous en possédez moins que ce chiffre. Si les dés vous donnent un chiffre impair, vous gagnez autant de Pièces d'Or.

Vous pouvez d'autre part vous servir de votre CHANCE pour vous aider à gagner. *Tentez votre Chance.* Si vous êtes chanceux, lancez deux dés pour savoir combien de Pièces d'Or vous avez gagnées. Si vous êtes malchanceux, le chiffre obtenu aux dés vous indiquera combien de Pièces vous avez perdues.

Rectifiez en conséquence votre *Feuille d'Aventure.* Si vous avez gagné, vous prenez 2 points de CHANCE supplémentaire pour saluer votre bonne fortune. Lorsque vous en aurez terminé, rendez-vous au **131.**

347

Rendez-vous au **182.**

348

Vous êtes au fond d'un trou, quelque peu meurtri mais sans blessure grave. Après vous être relevé, vous regardez autour de vous et vous voyez deux passages : l'un est court, orienté au sud, et mène à une petite pièce ; un autre part vers le nord. Vous vous inquiétez du bruit que vous avez fait en tombant, et plus encore des grognements qui proviennent de la pièce située au sud. Avant d'avoir eu le temps de réfléchir à la question, vous voyez apparaître au coin du couloir une grosse tête repoussante. Un instant plus tard, un TROLL surgit de son antre. Vous vous êtes tordu la cheville et vous ne pouvez pas vous déplacer très vite, mais le Troll, lui, est prêt au combat. Il va vous falloir affronter cette brute. Rendez-vous au **331** – mais si vous avez dans votre sac à dos une Potion d'Invisibilité, rendez-vous alors au **51.**

348 *Vous voyez apparaître au coin du couloir une grosse tête repoussante.*

349

Vous avancez le long du passage sur une distance de quelques mètres et vous arrivez bientôt à un cul-de-sac. Vous avez le choix entre retourner au croisement (rendez-vous au **267**) ou explorer le cul-de-sac (rendez-vous au **30**).

350

La « turbulence » vous entoure et vous sentez frétiller contre vous une multitude de petits poissons. Ils vous écorchent la peau en vous mordant avec agressivité, et vous réalisez alors que vous êtes assailli par des PIRANHAS !

Si au cours du combat avec le Crocodile, vous avez réussi à le blesser, vous avez de la chance, car la plupart des poissons carnivores vont s'attaquer au reptile, attirés par le sang qui coule de ses plaies. Mais si vous n'avez pas blessé le Crocodile, les Piranhas se jetteront soit sur vous, soit sur lui, et pour savoir qui sera leur victime, jetez un dé. Si vous faites un 1 ou un 2, la plupart des Piranhas choisiront de s'attaquer à vous. Si vous faites entre 3 et 6, en revanche, la majorité des poissons se précipitera sur le Crocodile.

Affrontez les Piranhas comme s'ils étaient une seule et même créature. Dans l'hypothèse où c'est vous qu'ils attaquent, voici quels sont leurs points :

PIRANHAS HABILETÉ : 5 ENDURANCE : 5

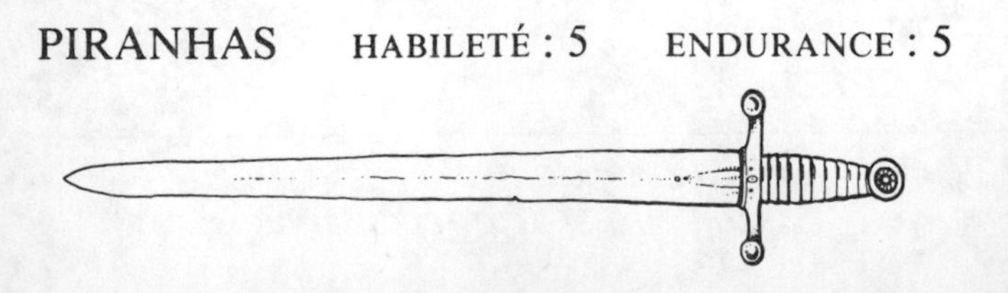

Mais si c'est le Crocodile qui est visé, vous n'aurez à combattre que ceux qui ne se sont pas joints à leurs congénères. Vos attaquants seront alors beaucoup moins nombreux, et voici leurs points :

PIRANHAS HABILETÉ : 5 ENDURANCE : 1

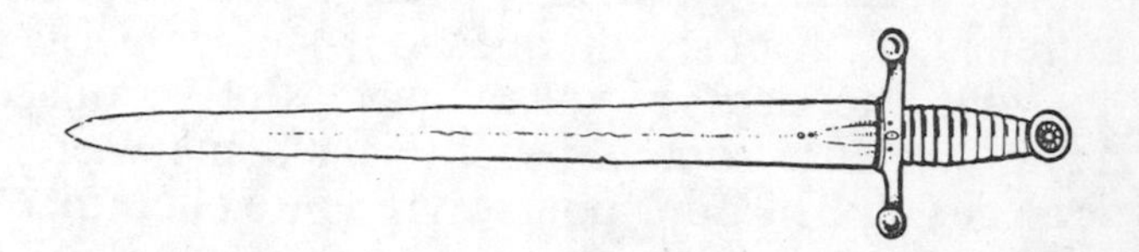

Si vous êtes vainqueur, vous pouvez nager jusqu'à la rive. Rendez-vous au **7**. Là, vous aurez droit de prendre un Repas si vous le souhaitez ; vous gagnez également 1 point de CHANCE.

351

Vous êtes de retour à la bifurcation, et vous prenez la direction de l'est. Rendez-vous au **76**.

352

Tandis que vous vous approchez de lui, ses yeux vous fixent avec une intensité qui révèle toute l'étendue de son pouvoir. Vous vous sentez faiblir sous ce regard implacable. Vous perdez 1 point d'ENDURANCE. Peu à peu, votre volonté vous échappe. Allez-vous tirer votre épée et le combattre (rendez-vous alors au **74**), ou chercher dans votre sac à dos quelque autre moyen de l'attaquer (rendez-vous dans ce cas au **279**) ?

353

Vous vous fendez lorsque le vieil homme bondit

sur vous les bras tendus en avant, et vous lui passez votre épée au travers de la poitrine. Mais aussitôt, vous vous maudissez d'avoir agi ainsi, car vous réalisez que le vieillard ne cherchait pas à vous attaquer ; son excitation était simplement due au soulagement qu'il éprouvait d'être enfin libéré après avoir passé apparemment un bon nombre d'années en prison. Vous ne pouvez plus maintenant lui poser de questions sur les périls qui vous attendent, et vous vous êtes privé ainsi d'une précieuse source de renseignements. Rendez-vous au **314** pour poursuivre votre chemin.

354

Vous vous trouvez au milieu d'une courbe, et vous avez le choix entre suivre le passage vers l'ouest ou vers le sud.

Pour aller à l'ouest	Rendez-vous au **308**
Pour aller au sud	Rendez-vous au **52**
Si vous voulez essayer de découvrir des passages secrets en allant vers l'ouest	Rendez-vous au **14**
Si vous voulez essayer de découvrir des passages secrets en allant vers le sud	Rendez-vous au **234**

355

Vous tâtonnez le long du mur, mais sans trouver d'issue par où vous échapper. Le bruit vous fait hurler de douleur ! Vous perdez encore 1 point d'HABILETÉ. Vous pouvez tenter de trouver une porte soit dans le mur est (rendez-vous au **181**), soit dans le mur nord (rendez-vous au **265**).

356

Le vieil homme lève les yeux vers vous, vous rend votre salut et vous fait signe de vous asseoir. Vous vous asseyez à la table, et vous remarquez qu'il vous observe. Son regard insistant a un pouvoir hypnotique, mais vous vous en rendez compte à temps pour détourner les yeux. Il ouvre alors la bouche pour parler, et à votre grande stupeur, au lieu d'une simple voix d'homme, vous entendez résonner dans toute la pièce une voix d'une extraordinaire puissance qui semble provenir des murs eux-mêmes. Vous jetez à nouveau un coup d'œil vers le vieillard et vous le voyez se métamorphoser sous vos yeux. Sa taille devient imposante. Ses haillons se transforment en longues robes de velours et d'or. Il vous contemple fixement de ses yeux noirs. Il vous attendait...
Rendez-vous au **358**.

357

Le passage mène vers le nord ; bientôt, il s'élargit en une grande caverne aux murs de roche brute. Il semble qu'il n'y ait pas d'issue à la caverne en dehors du chemin que vous venez d'emprunter pour y parvenir. Vous pouvez choisir de revenir sur vos pas jusqu'à la bifurcation (rendez-vous au **269**), ou d'entrer dans la caverne (rendez-vous au **57**).

358

Le combat va faire appel à toute votre force et à toute votre ruse. Votre adversaire s'est volatilisé, puis il a reparu à l'autre bout de la pièce devant une porte munie de deux serrures. Comment allez vous l'affronter ?

En avançant sur lui, votre épée à la main ?	Rendez-vous au **142**
En cherchant dans votre sac à dos l'arme qui vous semblera la plus efficace pour le combattre ?	Rendez-vous au **105**
En essayant de découvrir autour de vous quelque chose qui pourrait vous servir à l'attaquer ou à vous défendre ?	Rendez-vous au **389**

359

Vous vous trouvez à une croisée de chemins.

Pour aller au nord	Rendez-vous au **190**
Pour aller au sud	Rendez-vous au **94**
Pour aller à l'est	Rendez-vous au **121**
Pour aller à l'ouest	Rendez-vous au **385**

360

La porte claque bruyamment derrière vous. Vous vous retrouvez dans un passage orienté vers le nord. Vous le suivez sur une distance de plusieurs mètres ; il tourne alors vers l'ouest, et vous continuez dans cette direction. Un peu plus loin, vous trouvez une étroite ouverture dans le mur nord, et vous décidez de la franchir. Rendez-vous au **89.**

358 *Le Sorcier, prêt au combat.*

361

Vous décrochez la clé ; elle porte le numéro *125*. Mais vous n'avez pas le loisir de l'examiner très longuement, car vos poumons vous brûlent. Lancez deux dés. Si le chiffre obtenu est égal ou inférieur à votre total d'HABILETÉ, vous parvenez à traverser la pièce et à atteindre la porte nord (rendez-vous au **136**). Si ce chiffre est supérieur à vos points d'HABILETÉ, vous ne pouvez éviter d'inspirer une bouffée de gaz. Vous perdez 2 points d'HABILETÉ et 3 points d'ENDURANCE, puis vous vous précipitez vers la porte (rendez-vous au **136**).

362

Tandis que vous sondez les murs le long du passage, vous découvrez dans le mur ouest une porte secrète qui s'ouvre et que vous franchissez. Rendez-vous au **177**.

363

Un peu plus loin, dans le mur ouest, vous trouvez une autre porte semblable à la précédente. Vous tendez l'oreille, et vous faites une grimace en entendant des voix chanter si fort et si faux que jamais vous n'auriez cru possible de parvenir à une telle cacophonie. Voulez-vous entrer dans la pièce pour voir qui produit ce vacarme (rendez-vous au **370**), ou préférez-vous poursuivre votre chemin le long du passage (rendez-vous alors au **42**) ?

364

Lorsque vous poussez la poignée, une petite porte de pierre s'ouvre en coulissant dans la roche. Vous avez le choix entre n'y prêter aucune attention et revenir à la bifurcation (rendez-vous au **256**), ou au contraire la franchir (rendez-vous alors au **373**). Mais il vous faut prendre une décision rapide, car la porte ne va pas tarder à se refermer d'elle-même.

365

Les FARFADETS vous attaquent un par un.

	HABILETÉ	ENDURANCE
Premier FARFADET	6	4
Deuxième FARFADET	5	3
Troisième FARFADET	6	4
Quatrième FARFADET	5	2
Cinquième FARFADET	4	4

Si vous êtes vainqueur, rendez-vous au **183**. Si vous voulez vous enfuir pendant le combat (n'oubliez pas alors vos points de pénalité), rendez-vous au **237**.

366

Vous suivez un passage orienté au nord. Au bout d'une certaine distance, il tourne brusquement vers l'est. Vous poursuivez votre chemin vers l'est, et vous passez bientôt devant une ouverture étroite aménagée dans le mur nord. Vous pouvez franchir cette ouverture (et vous rendre au **89**), ou continuer vers l'est (et vous rendre au **62**).

367

Vous arrivez à une autre bifurcation. Si vous

voulez prendre la direction de l'ouest, rendez-vous au **235**. Si vous préférez aller vers l'est, rendez-vous au **323**.

368

Le rire du Sorcier résonne dans la pièce. « Nous allons voir lequel de nous deux est une souris ! » s'exclame-t-il, et il lève la main. Il claque alors des doigts, et une flamme jaillissant de sa main vous atteint en pleine poitrine. Vous perdez 3 points d'ENDURANCE. Il va vous falloir tenter autre chose :

Tirer votre épée et vous ruer sur lui	Rendez-vous au **142**
Essayer une autre des armes rangées dans votre sac à dos	Rendez-vous au **105**

369

Vous avalez une gorgée du liquide (rendez-vous au **109**).

370

La porte s'ouvre sur une petite pièce. Elle est sale et en désordre. Une paillasse est posée dans un coin. Au centre de la pièce, fixée sur une table de bois, une chandelle brûle et éclaire l'endroit d'une lueur vacillante. Il y a sous la table une petite boîte. Autour de cette même table sont assises deux petites créatures à la peau couverte de verrues ; les deux êtres sont vêtus de cuirasses. Ils boivent une espèce de grog, et en voyant la façon dont ils se lèvent en titubant à votre entrée, vous en déduisez qu'ils sont ivres. Vous avez le choix

370 *Autour de la table sont assises deux petites créatures, à la peau couverte de verrues.*

entre tirer votre épée et bondir sur eux (rendez-vous au **116**), ou refermer immédiatement la porte et courir le long du passage (rendez-vous alors au **42**).

371

Vous êtes en sécurité pour le moment, et vous explorez la caverne ; bientôt, vous découvrez un passage qui vous permet de continuer vers l'ouest. Rendez-vous au **274.** Vous pouvez vous reposer et prendre un Repas avant de repartir. Ajoutez 3 points à votre total de CHANCE pour avoir vaincu le Dragon.

372

Le combat s'engage !

	HABILETÉ	ENDURANCE
CHEF DES FARFADETS	7	6
SERVITEUR	5	3

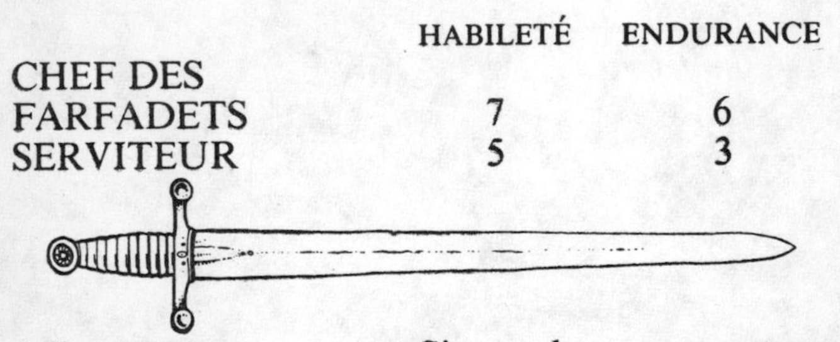

Affrontez-les un par un. Si vous les terrassez tous deux, rendez-vous au **21**.

373

Vous vous trouvez dans un cul-de-sac à l'extrémité sud d'un passage nord-sud. Si vous allez vers le nord, vous parviendrez à un croisement. Rendez-vous au **85**.

374

Les Squelettes ne remarquent pas votre présence

et disparaissent par la porte qui ouvre sur le hangar à bateaux. Avec un soupir de soulagement, vous poursuivez votre chemin pour essayer la porte située à l'extrémité nord du passage. Mais avant de repartir, vous pouvez, si vous le désirez, prendre un repas. Vous gagnez par la même occasion 2 points de CHANCE pour avoir réussi à échapper aux squelettes. Rendez-vous au **207**.

375

Vous êtes de retour à la bifurcation, et, cette fois, vous prenez la direction du nord. Rendez-vous au **5**.

376

Vous avez le droit de ramasser toutes les pièces de cuivre qui se trouvent sur la table. Elles ont une valeur totale de 4 Pièces d'Or. Ensuite, vous partez par la porte. Rendez-vous au **291**. Vous pouvez, si vous le désirez, vous arrêter pour prendre un repas, et vous bénéficiez également de 3 points de CHANCE supplémentaires.

377

Lorsque vous tirez votre épée, le DIABLOTIN AILÉ s'envole et vous attaque ; pendant ce temps, le vieil homme se précipite vers la bibliothèque, manipule un livre qui ouvre une porte secrète, et s'enfuit. Il ne vous reste plus qu'à combattre sa créature.

DIABLOTIN AILÉ HABILETÉ : 5 ENDURANCE : 7

Si vous êtes vainqueur, rendez-vous au **196**.

378

Vous essuyez votre épée ensanglantée sur la paillasse. Le sang vert laisse une tache gluante sur la paille. Vous enjambez les cadavres pour vous approcher de la table, et la puanteur des créatures vous donne un haut-le-cœur. Vous ramassez la boîte sous la table et vous l'examinez. C'est une petite boîte en bois munie d'un couvercle attaché par des charnières rudimentaires. Une petite plaque de cuivre y est fixée, sur laquelle on peut lire ce nom : « Farrigo Di Maggio. » Si vous voulez ouvrir cette boîte, rendez-vous au **296**. Si vous préférez l'abandonner et quitter la pièce, rendez-vous au **42**.

379

Tandis que vous vous préparez à abattre votre épée sur le coffre, le roulement devient de plus en plus intense. Vous levez votre arme, et lorsque vous en frappez le couvercle, vous entendez un craquement assourdissant ; au même instant, un petit éclair frappe la garde de votre épée et vous envoie rouler sur le sol.

Tentez votre Chance. Si vous êtes chanceux, vous avez lâché votre épée juste au moment où l'éclair a jailli ; l'épée a éclaté en mille morceaux, mais vous êtes indemne. Si vous êtes malchanceux, il ne reste plus de vous qu'un petit tas de chair calcinée qui forme une silhouette noirâtre sur le sol.

La prochaine fois, n'essayez pas de frapper le coffre ! Si vous avez eu de la chance, vous pouvez utiliser les clés rangées dans votre sac à dos. Rendez-vous alors au **139**.

380

Vous vous trouvez dans un étroit passage est-ouest. À l'ouest, vous apercevez un croisement un peu plus loin. Vous partez dans cette direction. Rendez-vous au **37**.

381

Le passage aboutit à une porte de bois aux garnitures de fer. Diverses inscriptions sont gravées sur le panneau, mais il n'en est pas une dont vous compreniez le sens. Vous tendez l'oreille sans rien entendre. Vous pouvez soit ouvrir la porte (et vous rendre au **84**), soit retourner à la bifurcation (et vous rendre au **280**).

382

Vous brandissez l'Œil devant lui, et la pierre précieuse émet une faible lueur. Vous dirigez cette lueur sur lui et il pousse un hurlement ! Il recule et se blottit dans un coin de la pièce ; un rayon de lumière jaillit alors de la pierre précieuse. Lorsque ce rayon l'atteint, il s'effondre sur le sol, et une extraordinaire transformation s'opère alors. Il se ratatine peu à peu et vieillit à vue d'œil. Sa peau se ride et se craquèle, et il n'est bientôt plus qu'une petite silhouette molle recroquevillée dans son coin. Quelques instants plus tard, la pierre précieuse s'éteint et vous vous approchez du petit tas de vêtements immobiles ; il ne reste

de lui que ses robes d'or et de velours. Rendez-vous au **396**.

383

Au-dessus de la porte, une pancarte indique : « Hangar à Bateaux. » La porte est solidement verrouillée, mais une petite fenêtre munie de barreaux permet de regarder à l'intérieur. Vous apercevez alors un groupe de Squelettes qui travaillent à la construction d'un bateau. Leurs gestes sont rapides et saccadés et on croirait voir bouger des insectes.

Si vous possédez une clé portant l'inscription « Hangar à Bateaux »	Rendez-vous au **80**
Si vous voulez tenter d'enfoncer la porte	Rendez-vous au **264**
Si vous préférez retourner sur la berge de la rivière et prendre un autre chemin	Rendez-vous au **129**

384

La porte s'ouvre sur un passage que vous suivez en direction du nord. Bientôt, vous arrivez à une courbe qui s'oriente vers l'est. Au bout de quelques mètres, vous parvenez à une bifurcation ; vous avez alors le choix entre aller vers le nord (rendez-vous au **262**), ou poursuivre vers l'est (rendez-vous au **307**).

385

Vous marchez vers l'ouest pendant un certain temps, puis le passage tourne vers le nord. Un peu plus loin, vous arrivez à une bifurcation. Vous pouvez aller au sud (rendez-vous au **114**),

383 *Vous apercevez un groupe de Squelettes qui travaillent à la construction d'un bateau.*

ou à l'ouest (rendez-vous au **297**). Au nord, le passage aboutit très vite à un cul-de-sac. Si vous voulez vous y rendre, allez au **398**.

386

Vous montez sur le radeau et vous entreprenez de traverser la rivière en naviguant à la perche. L'opération se révèle difficile. Au milieu du cours d'eau, le radeau semble soudain s'animer à sa guise sans plus vous obéir, s'agitant dangereusement en tous sens. Vous vous apercevez que l'embarcation essaie de chavirer d'elle-même pour vous jeter à l'eau ! Vous avez alors deux possibilités : ou bien vous faites confiance à vos propres forces et à votre chance en essayant de tenir bon et de mener malgré tout le radeau de l'autre côté de la rivière, sur la berge nord (rendez-vous alors au **55**), ou bien vous sautez à l'eau et vous tentez de regagner à la nage la berge sud (rendez-vous dans ce cas au **166**).

387

Vous essayez les clés. Aucune ne tourne dans les serrures. Lorsque vous essayez la troisième clé, un mécanisme se déclenche et votre dernier souvenir se résume à une sensation de douleur provoquée par les trois fléchettes qui viennent de vous transpercer la peau. Chacune d'elles est imprégnée d'un poison violent dont l'effet est immédiat.
N'utilisez pas cette combinaison de clés la prochaine fois !

388

Votre épée vous échappe des mains, s'envole et retombe sur vous ; vous avez tout juste le temps de faire un bond de côté pour l'éviter. La lame cependant vous égratigne la joue, et vous perdez 1 point d'ENDURANCE. Vous estimez préférable de quitter la pièce. Ramassez votre épée et rendez-vous au **90**. Vous perdez 1 point d'HABILETÉ en raison de la peur que vous inspire le pouvoir du Sorcier.

389

Tentez votre Chance. Si vous êtes chanceux, rendez-vous au **289**. Si vous êtes malchanceux, rendez-vous au **112**.

390

La Goule a un soubresaut et meurt à vos pieds. Vous fouillez son cadavre, mais vous ne trouvez rien d'intéressant. Une paire de boucles d'oreilles, valant environ 1 Pièce d'Or, traîne dans une de ses poches. Vous pouvez les prendre. Si vous n'avez pas encore fouillé le premier corps, vous le faites maintenant, et vous trouvez 5 Pièces d'Or que vous pouvez également conserver. Si vous le désirez, vous avez le droit de vous reposer et de prendre un Repas en ce lieu. Pour avoir tué la Goule, vous gagnez 2 points de CHANCE. Ensuite, vous aurez le choix entre aller au nord (rendez-vous au **120**), ou fouiller le deuxième cadavre (rendez-vous alors au **393**).

391

Vous vous trouvez à l'extrémité sud d'un couloir nord-sud. Au nord, vous apercevez un passage qui part du mur est. Qu'allez vous faire ?

Suivre ce passage ?	Rendez-vous au **52**
Essayer de découvrir un passage secret en allant vers le nord ?	Rendez-vous au **362**

Prendre la direction du sud en suivant une courbe qui tourne vers l'ouest ? Rendez-vous au **48**

392

Vous êtes dans un couloir nord-sud. Vous avez le choix entre aller au nord en franchissant une haute porte de bois (rendez-vous au **206**), ou prendre la direction du sud (rendez-vous au **329**).

393

Vous fouillez les poches de l'autre cadavre et vous y dénichez 8 Pièces d'Or, un vieux morceau de parchemin et une bouteille contenant un liquide ; vous pouvez emporter ces objets. Si vous voulez lire le parchemin, rendez-vous au **212.** Si vous voulez boire le liquide qui se trouve dans la bouteille, rendez-vous au **369.**

394

Les bottes sont élégantes, taillées dans un cuir rouge foncé. Elles sont beaucoup plus solides que les vôtres et vous vont très bien. Vous faites quelques pas après les avoir passées, mais vous vous apercevez bientôt avec horreur que vous ne pouvez plus bouger ; il semble que les bottes vous enserrent les pieds avec une force considérable. Tandis que vous vous efforcez de vous en libérer, vous entendez un craquement et un bruit de chute : un stalactite vient de tomber ; vous tournez la tête, et vous voyez venir vers vous une immense silhouette noire. À mesure qu'elle s'approche, vous distinguez mieux la silhouette, et votre sang se glace, car c'est une ARAIGNÉE GÉANTE d'un mètre de long au moins qui s'avance vers

394 *Vous voyez venir vers vous une immense silhouette noire, et votre sang se glace.*

vous sur ses pattes velues ; vous entendez s'agiter ses mandibules : le monstre salive à l'idée de vous avoir au menu de son prochain repas. Vous tirez votre épée pour vous défendre, mais vous ne pouvez toujours pas bouger, prisonnier de vos bottes, et il vous faut en conséquence ôter 2 points au chiffre que vous obtiendrez chaque fois que vous lancerez les dés pour déterminer votre Force d'Attaque.

ARAIGNÉE
GÉANTE HABILETÉ : 7 ENDURANCE : 8

Si vous sortez vainqueur du combat, rendez-vous au **232.**

395

Vous enjambez les ossements qui jonchent le sol et vous examinez d'un peu plus près le Hangar à Bateaux. Vous ramassez quelques-uns des outils dispersés à terre, et vous les observez en détail : ce sont des marteaux, des clous, des ciseaux et toutes sortes d'objets semblables. Ils paraissent tout à fait quelconques. Bientôt, vous entendez un bruit sonore qui provient de quelque part au-delà de la porte nord et vous allez devoir abréger vos investigations, car le bruit se rapproche et il va falloir réagir. Vous avez le temps toutefois soit de fouiller les tiroirs des établis qui se trouvent dans le hangar (rendez-vous alors au **322**), soit d'examiner les outils avec encore plus d'attention (rendez-vous dans ce cas au **34**). À vous de choisir.

396

À présent que le Sorcier est vaincu, vous savez que votre quête est presque terminée. Vous vous approchez de la porte aux deux serrures. Il n'y a pas de clés alentour. Vous prenez alors deux clés dans votre sac à dos et vous essayez d'ouvrir la porte. Les clés tournent dans les serrures ! Vous poussez la porte et vous jetez un coup d'œil à l'intérieur. Rendez-vous au **242.** Si vous n'avez pas de clés, vous pouvez essayer d'enfoncer la porte, mais cela vous coûtera presque tous vos points d'ENDURANCE. Réduisez alors votre ENDURANCE de 5 points, et entrez dans la pièce. Rendez-vous au **242.**

397

La porte s'ouvre sur une petite pièce au sol de pierre et aux murs sales. Une odeur de moisi flotte dans l'air. Au centre de la pièce, il y a une table rudimentaire sur laquelle est posée une chandelle allumée. Sous la table, vous apercevez une petite boîte. À l'autre bout de la pièce, vous remarquez une paillasse dans un coin. Vous avez le choix : ouvrir la boîte (et vous rendre au **240**), ou quitter la pièce (et aller au **363**).

398

Vous sondez la paroi rocheuse à l'extrémité du passage. Une des pierres se détache et révèle une cachette dans laquelle est dissimulé un bouton muni d'une poignée. Préférez-vous tirer sur cette poignée (et vous rendre au **12**), ou la pousser (et aller au **364**) ?

399

Il y a un fort courant qui vous entraîne rapidement en aval. Vous êtes emporté à travers une ouverture, puis projeté dans une grande caverne avec une rive de chaque côté. Le courant alors vous pousse vers la rive sud, où vous échouez enfin. Rendez-vous au **218.**

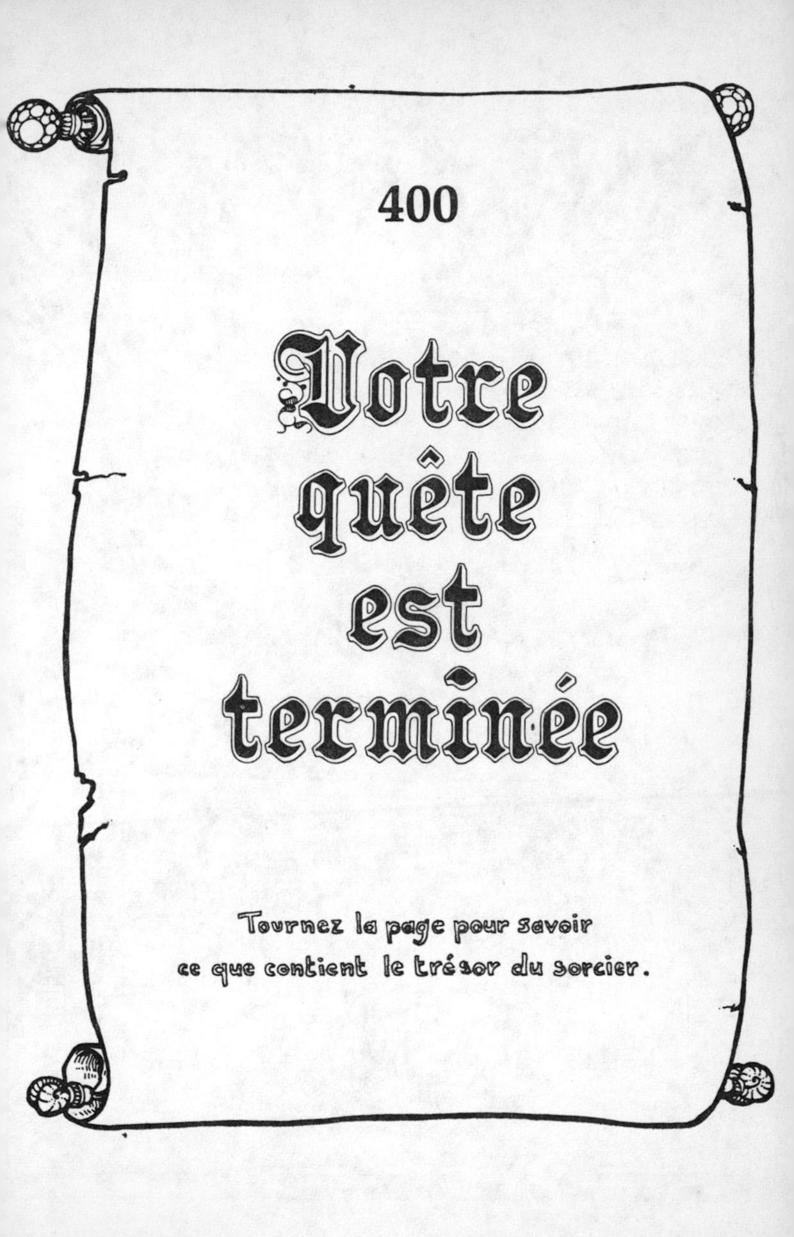
400
Votre quête est terminée
Tournez la page pour savoir
ce que contient le trésor du sorcier.

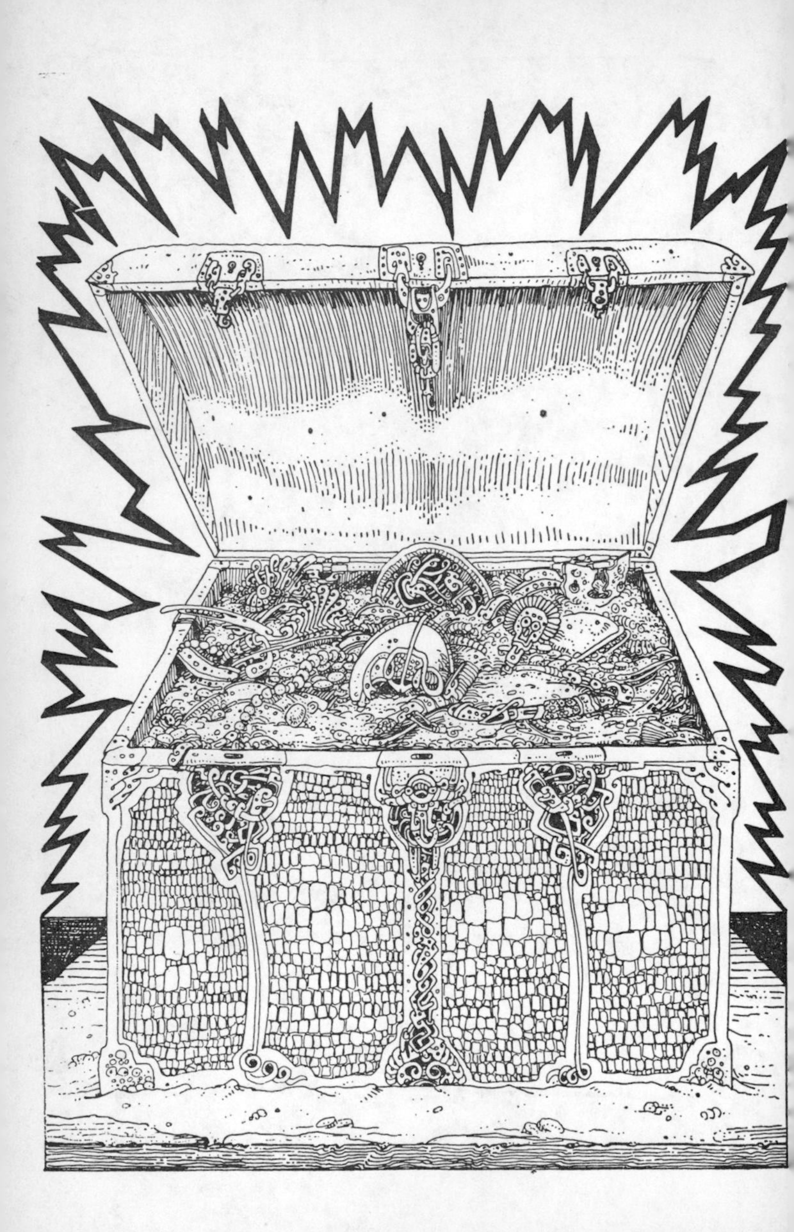

Le Sorcier de la Montagne au Sommet de Feu est mort, et vous êtes à présent en possession de ses richesses. Il y a dans son coffre au moins mille pièces d'or, des joyaux, des diamants, des rubis et des perles. Caché au-dessous, vous trouvez son grimoire et, en le feuilletant, vous vous rendez compte que ce livre est sans doute plus précieux encore que le trésor proprement dit. Il y est enseigné tout ce qu'il faut savoir pour commander aux secrets et aux créatures de la Montagne au Sommet de Feu. Grâce à cet ouvrage, vous disposez désormais de pouvoirs sans limites, et votre retour sain et sauf au village est assuré. Mais si vous le désirez, vous pouvez rester là et devenir à votre tour le Maître de la Montagne...

Connaissez-vous tous les titres de la série DEFIS FANTASTIQUES ?

La toute première série des « Livres dont Vous êtes le Héros », inspirée de l'univers du célèbre Seigneur des Anneaux, de J.R.R. Tolkien (publié dans la collection Folio Junior).

Le Sorcier de la Montagne de Feu
La Citadelle du Chaos
La Forêt de la Malédiction
La Cité des Voleurs
Le Labyrinthe de la Mort
La Sorcière des Neiges
Le Manoir de l'Enfer
Le Talisman de la Mort
Le Mercenaire de l'Espace
Défis Sanglants sur l'Océan
La Planète Rebelle
L'Épreuve des Champions
La Créature venue du Chaos
La Forteresse du Cauchemar
Les Rôdeurs de la Nuit
Le Justicier de l'Univers
Le Voleur d'Ames
Le Vampire du Château Noir
Les Sombres Cohortes
Le Volcan de Zamara
Le Sceptre Noir
L'Ancienne Prophétie

Le Repaire des Morts Vivants
La Légende des Guerriers Fantômes
La Tour de la Destruction
L'Arpenteur de la Lune
Les Mercenaires du Levant
Les Mondes de l'Aleph
Le Siège de Sardath
Retour à la Montagne de Feu
Les Mages de Solani
La Légende de Zagor
Le Sépulcre des Ombres
Le Voleur de Vie
Les Chevaliers du Destin
Le Chasseur de Mages
La Revanche du Vampire

Achevé d'imprimer
en novembre 2002
sur les presses de
la Société Nouvelle Firmin-Didot
Mesnil-sur-l'Estrée

Loi n° 49-956 du 16 juillet 1949
sur les publications destinées à la jeunesse

N° d'impression : 61900
1er dépôt légal dans la même collection : janvier 1997
Dépôt légal : novembre 2002
ISBN : 2-07-050919-2
Imprimé en France

121087